100 RECETTES

MONTIGNAC

pour protéger votre cœur

Distribution pour le Canada:

QUÉBEC·**LIVRES**
⬛ QUÉBECOR MEDIA

2185, autoroute des Laurentides
Laval (Québec) H7S 1Z6
Téléphone: (450) 687-1210
Télécopieur: (450) 687-1331

Distribution pour la Suisse:
Diffusion Transat S.A.
Case postale 1210
4 ter, route des Jeunes
1211 Genève 26
Téléphone: 022 / 342 77 40
Télécopieur: 022 / 343 46 46

100 RECETTES
MONTIGNAC
pour protéger votre cœur

Louise Robitaille et Odette Frigon

LES ÉDITIONS
PUBLISTAR
QUEBECOR MEDIA

LES ÉDITIONS PUBLISTAR
Une division des Éditions TVA inc.

2020, rue University
20ᵉ étage, bureau 2000
Montréal (Québec) H3A 2A5

Directrice des éditions: Annie Tonneau

Direction artistique: Nancy Fradette
Infographie: Roger Des Roches, SÉRIFSANSÉRIF
Correction et révision: Corinne De Vailly et Paul Lafrance
Couverture: Michel Denommée
Photo de la couverture
  et de l'intérieur: Maryse Raymond
Stylisme culinaire: Stéphane Boucher
Photo des auteures: Daniel Auclair
Maquillage et coiffure
  des auteures: Macha Colas

Site officiel de la Méthode Montignac: www.montignac.com

Les produits alimentaires Montignac: www.nadfoods.com

Nous reconnaissons l'aide financière du gouvernement du Canada par l'entremise du Programme d'aide au développement de l'industrie de l'édition (PADIÉ) pour nos activités d'édition.

Avant-propos des auteures

Quand elle est arrivée au Québec à la fin des années 90, la Méthode Montignac avait déjà fait ses preuves pendant une dizaine d'années en Europe, particulièrement en France.

Chez ceux qui l'ont expérimentée et dont l'objectif était d'abord de perdre du poids, des résultats satisfaisants et durables ont généralement été obtenus.

Mais tous sans exception ont été surpris de constater que suivre la Méthode Montignac produisait des effets secondaires particulièrement bénéfiques: plus d'énergie, moins de fatigue, un meilleur sommeil, la suppression de petits problèmes intestinaux, la disparition de certaines migraines...

Déjà en 1991, le Pr Cloarec, chef du service de cardiologie de l'hôpital Thenon à Paris, avait remarqué dans sa consultation que les patients qui suivaient la Méthode Montignac avaient vu s'abaisser d'une manière notable leur taux de cholestérol, de triglycérides et même leur hypertension artérielle. C'est ainsi qu'il avait écrit la préface d'un des livres de Montignac dont le titre était *La diététique du manager*.

Quelques années plus tard, un autre éminent médecin, le Dr Morrison Bethea, chef de service du département de chirurgie cardiaque au Mercy-Baptiste Hospital de La Nouvelle-Orléans, a lui aussi remarqué que dès qu'il tournait ses patients vers la Méthode Montignac, il constatait une baisse de 20 à 30 % de leur cholestérol total. Dans la préface du livre *La Méthode Montignac spécial femme*, aux éditions Flammarion, le Dr Berthea écrivait d'ailleurs en 1994: «Il ne fait pour moi aucun doute que toutes les études sérieuses qui sont désormais entreprises confirmeront d'ici peu que Michel Montignac avait raison de persévérer dans une voie nouvelle où il sera reconnu un jour comme "chef de file".»

L'étude de l'équipe du Dr Jean Dumesnil de l'hôpital Laval, à Québec, récemment publiée dans la prestigieuse revue scientifique *The British Journal of Nutrition*, contribue à confirmer et à expliquer pourquoi les recommandations nutritionnelles de Michel Montignac ont des effets bénéfiques sur le plan de la prévention, voire de la diminution des facteurs de risques cardiovasculaires. Manger «à la Montignac», c'est donc aussi ménager son cœur!

Ce livre n'a pas d'autre prétention que de proposer à ses lecteurs une centaine de recettes québécoises élaborées d'après deux des critères majeurs de la Méthode Montignac: le choix préférentiel des glucides à index glycémiques bas* et la priorité donnée aux acides gras monosaturés et polyinsaturés.

Comme toutes les recettes Montignac, celles-ci concilient le plaisir de manger et le souci de ménager sa santé. Elles sont donc conformes au concept de gastronomie nutritionnelle prôné depuis toujours par Michel Montignac.

Nous sommes certaines que vous aurez autant de plaisir à les déguster que nous avons eu à les élaborer.

Bon appétit!

Odette Frigon et Louise Robitaille

---

* Voir le livre *Je mange, je maigris et je reste mince*, publié chez Flammarion Québec et J'ai Lu.

Les fondements de la Méthode Montignac prouvés scientifiquement par une étude publiée dans le British Journal of Nutrition[1]

D ans son numéro de novembre 2001, le *British Journal of Nutrition,* l'une des revues scientifiques internationales les plus prestigieuses, vient de publier une étude canadienne prouvant les fondements scientifiques de la Méthode Montignac.

Les auteurs de cette étude sont d'éminents chercheurs de l'Université Laval, à Québec dont le chef de file, le docteur Jean Dumesnil, a perdu 21 kilos en 1996 en suivant la Méthode Montignac.

Impressionné par sa propre performance, il a voulu en sa qualité de chercheur en percer les arcanes scientifiques.

L'étude expérimentale a consisté à faire suivre successivement trois régimes alimentaires différents à une population d'hommes obèses.

• Le premier régime était celui que recommande l'AHA, l'American Heart Association (la très officielle Association américaine des spécialistes du cœur). Les participants étaient autorisés à consommer *ad libitum* les aliments mis à leur disposition.

---

1. *British Journal of Nutrition* (2001), **86,** 557-558, J.G. Dumesnil et coll. (*«Effects of a low glycemic index diet [...]»*).

- Le deuxième régime était conforme aux principes de la Méthode Montignac (glucides à index glycémique bas). Là encore, les participants étaient autorisés à consommer *ad libitum*.

- Le troisième régime avait la même composition en macro-nutriments que le premier (AHA), mais les apports énergétiques étaient limités à ceux observés avec le régime Montignac.

Les résultats de cette étude ont été les suivants:

- C'est avec la Méthode Montignac que la perte de poids la plus significative a été obtenue. Avec le régime 1 de l'AHA, il y a même eu un léger gain de poids.

- C'est avec la Méthode Montignac que le meilleur niveau de satiété a été obtenu. Avec le régime 1 (AHA), les participants n'ont atteint leur niveau de réplétion (suppression de la faim) qu'après avoir consommé 2 800 calories, alors qu'avec la Méthode Montignac le niveau de réplétion était atteint avec 2 100 calories. Dans le régime 3 qui était volontairement limité à 2 100 calories, les participants avaient encore faim, ce qui indique que sa composition alimentaire n'était pas satiétogène bien qu'elle ait correspondu aux recommandations de la diététique officielle.

- C'est avec la Méthode Montignac que le tour de taille des participants a le plus significativement diminué. Avec le régime 1 (AHA), il avait même augmenté.

- C'est avec la Méthode Montignac que le bilan lipidique sanguin a été le plus positif.

Cholestérol:
- Avec la Méthode Montignac, on a constaté une stabilisation du cholestérol, mais aussi une augmentation

du diamètre des particules de LDL-cholestérol, ce qui est un facteur de diminution du risque cardio-vasculaire.

- Avec les régimes 1 et 2 au contraire, non seulement le diamètre des particules de LDL-cholestérol n'a pas été modifié, mais le rapport cholestérol total/HDL cholestérol a augmenté, ce qui constitue une aggravation du risque cardiovasculaire.

Triglycérides:

— Avec la Méthode Montignac l'étude a constaté une diminution de 35 % des triglycérides au bout de 6 jours seulement, ce qui est tout à fait exceptionnel, non seulement parce que les deux autres régimes n'ont pas eu d'impact positif sur ce paramètre (le régime 1 indiquait même une aggravation), mais aussi parce que selon le docteur Dumesnil, il n'existe pas actuellement dans la pharmacopée une molécule susceptible de provoquer un tel résultat dans un laps de temps aussi court.

- Enfin c'est avec la Méthode Montignac que l'on a obtenu les niveaux d'insuline les plus bas, tant à jeun que durant toute la journée de 24 heures, ainsi que lors d'une hyperglycémie provoquée, de même que l'on a remarqué les niveaux de glycémie les plus bas. Or la limitation de ces deux paramètres est l'un des facteurs de prévention du risque d'insulinorésistance qui entraîne notamment le diabète.

La conclusion de cette étude, c'est que comparée aux recommandations diététiques habituelles auxquelles correspondaient les régimes 1 et 3, la Méthode Montignac induit les meilleurs résultats non seulement pour ce qui est de l'amaigrissement (avec atteinte d'un niveau optimal de satiété), mais aussi et surtout pour ce qui est de la diminution des facteurs de risques cardiovasculaires. Il est par ailleurs légitime de considérer que suivre la Méthode Montignac peut contribuer à prévenir le diabète[2].

2. Diabète non insulinodépendant, dit diabète gras ou diabète de type II.

Menus santé
suivant les principes
de la Méthode Montignac

Dans les pages qui suivent, vous trouverez des menus complets et délicieux vous permettant de mettre en application, pendant quatre semaines, les principes fondamentaux de la Méthode Montignac. Les recettes de ces menus sont proposées dans le présent ouvrage.

MENU SANTÉ – SEMAINE 1

	DIMANCHE	LUNDI	MARDI	MERCREDI	JEUDI	VENDREDI	SAMEDI
DÉJEUNER	Fruits frais Gruau aux dattes Lait écrémé	Fruits frais Pain intégral Confiture sans sucre Yogourt 0%	Omelette aux champignons Laitue, tomates Lait écrémé	Fruits frais Pain de kamut Confiture sans sucre Lait écrémé	Fruits frais Pain intégral Fromage blanc 0% Yogourt 0%	Fruits frais Céréales sans sucre Lait écrémé Yogourt 0%	Frittata au jambon et légumes (oignons, champignons) Tranches de concombres Lait écrémé
DÎNER	Chausson de chevreuil Légumes vapeur Fromage	Soupe au chou Pain de viande Haricots verts, courgettes Fromage	Filets d'aiglefin à la tomate Asperges, courgettes Fromage	Fricassée de poulet et cœur d'artichauts Mesclun Vinaigrette Fromage	Tomate jaune farcie aux crevettes Cocotte de veau à la tomate Brocoli, concombre Fromage	Potage au céleri Truite aux avelines Tomate coupée en tranches, laitue Huile olive	Soupe aux champignons Salade de poulet avec amandes effilées Vinaigrette Yogourt 0%
SOUPER	Crème de brocoli Sole au citron Légumes braisés Yogourt 0%	Potage aux 6 légumes Blanc de dinde à la Provençale Brocoli, céleri Yogourt 0%	Salade de légumineuses Brochette de fraises et de kiwis chocolatés	Darnes de flétan toutes garnies Salade verte Vinaigrette maison	Minestrone Salade de riz sauvage Chocolat à 70% cacao	Crudités Chop-suey au poulet Fromage	Perles du Moyen-Orient Poires au vin et au fromage blanc

MENU SANTÉ – SEMAINE 2

	DIMANCHE	LUNDI	MARDI	MERCREDI	JEUDI	VENDREDI	SAMEDI
DÉJEUNER	Omelette au fromage et poivrons / Lait écrémé	Fruits frais / Pain intégral / Compote de pommes / Lait écrémé	Fruits frais / Pain pumpernickel / Purée de poires / Lait écrémé	Salade de fruits frais permis / Yogourt 0%	Fruits frais / Wasa à l'avoine / Fromage cottage 1% / Lait écrémé	Fruits frais / Céréales sans sucre / Lait écrémé / Yogourt 0%	Fruits frais / Crêpe de sarrasin / Confiture sans sucre / Lait écrémé
DÎNER	Bocconcini aux tomates et au basilic / Osso buco à la tomate	Salade du chef / Cubes de fromage / Vinaigrette	Jardinière de tomates à l'estragon / Poulet grillé / Brocoli, choux de Bruxelles / Fromage	Concombre en ravier / Hamburgers à la dinde / Légumes grillés aux graines de sésame / Fromage	Salade de fruits de mer (crabe, crevettes) / Mayonnaise maison / Fromage	Soupe aux concombres et au yogourt / Moules aux légumes / Salade de chou-fleur au cari / Fromage	Asperges au vin blanc / Omelette du midi / Haricots verts, radis / Yogourt 0%
SOUPER	Millet aux légumes / Tarte meringuée aux fruits des champs	Potage de poivrons rouges / Hamburgers épicés / Légumes en papillotes / Yogourt 0%	Soupe aux 6 légumes / Truite en papillotes / Salade de carottes / Yogourt 0%	Salade de luzerne / Chili végétarien / Pomme farcie aux dattes	Poivrons grillés / Foie de veau à l'oignon et à la framboise / Brocoli, asperges / Fromage	Minestrone / Aubergine farcie au cottage et aux haricots rouges / Chocolat à 70% cacao	Salade tiède d'olives noires et de tomates rôties à la moutarde forte / Magret de canard / Légumes braisés

MENU SANTÉ – SEMAINE 3

	DIMANCHE	LUNDI	MARDI	MERCREDI	JEUDI	VENDREDI	SAMEDI
DÉJEUNER	Fruits frais Bagel intégral Purée de dattes Lait écrémé	Fruits frais Crème de blé Compote de pommes Lait écrémé	Fruits frais Céréales sans sucre Bleuet Lait écrémé	Fruits frais Gruau à la cannelle et abricots secs Lait écrémé	Salade de fruits frais et yogourt 0%	Fruits frais Crêpe de sarrasin Confiture sans sucre Lait écrémé	Omelette western Lait écrémé
DÎNER	Cocktail du jardin Sole farcie aux poireaux et champignons Choux de Bruxelles Salade d'épinards Vinaigrette	Soupe aux légumes Œufs pochés aux asperges Tomates, concombre Fromage	Potage glacé au cari Cuisses de poulet à la créole Ratatouille aux gombos	Crème de brocoli Salade de thon Vinaigrette Fromage	Soupe aux choux Poitrine de dinde grillée Légumes gratinés	Salade verte Vinaigrette Pain de viande d'agneau Champignons marinés aux herbes Fromage	Jus de tomate Poulet et marinade au yogourt Épinards Fromage
SOUPER	Bouchées de crevettes et d'avocat Poulet tandoori Asperges, poivrons Fromage	Quartier d'avocat à l'orange et aux graines de pavot Escalope d'espadon à la sauce Braggs Brocoli Yogourt 0%	Taboulé au quinoa Cœurs d'artichauts piquants Tarte aux fruits	Concombres des fêtes Escalope de veau farcie Purée de chou-fleur Yogourt 0%	Crudités Sandwich: pain complet tartinade de pois chiches laitue romaine Compote de fruits	Crevettes rôties au Pineau des Charentes Légumes cuits vapeur Fromage	Croquettes aux graines de tournesol Riz brun Tomate à l'étuvée Flan aux pêches et au yogourt

MENU SANTÉ – SEMAINE 4

	DIMANCHE	LUNDI	MARDI	MERCREDI	JEUDI	VENDREDI	SAMEDI
DÉJEUNER	Fruits frais Crêpe maison aux bleuets Yogourt 0%	Fruits frais Céréales sans sucre Lait écrémé	Fruits frais Bagel intégral Confiture sans sucre Yogourt 0%	Fromage cottage 1% Tranche de concombres tomates, laitue Lait écrémé	Fruits frais Pain de kamut Compote de pommes Lait écrémé	Fruits frais Pain intégral Fromage blanc 0%	Fruits frais Muesli sans sucre Lait écrémé
DÎNER	Moules marinière Salade de légumes râpés: carottes, courgettes, chou Vinaigrette maison Choux de Bruxelles	Crudités Riz brun aux lentilles avec champignons et oignons Délice à la rhubarbe	Frittata aux tomates séchées et aux olives noires Laitue romaine, tomates, oignons verts Fromage	Tomate et courgettes en salade Vinaigrette Émincé de poulet aux légumes Fromage	Soupe aux tomates Salade niçoise au thon Yogourt 0%	Crème de légumes Croquettes d'agneau Salade de tomates et de pêches Fromage maigre	Salade de germination Cuisse de poulet au yogourt Salade tiède de champignons grillés Fromage
SOUPER	Saucisses grillées Légumes en papillotes Poulet tandoori Asperges, poivrons Fromage	Minestrone Salade de poulet grillé Avocats à la méditerranéenne	Salade grecque Saumon frais et sa fricassée de pleurotes Fromage	Salade de luzerne Soupe aux pois Pain intégral Pêche Melba au yogourt	Salade d'endives Escalope de dinde à l'huile d'olive Pois mange-tout Haricots verts Fromage	Salade d'épinards et de fèves germées Vinaigrette au yogourt Pâtes complètes Sauce aux tomates Haricots blancs (navy) Pruneaux aux amandes	Salade de rapini Brochettes de crevettes et d'aubergine Tomates au pesto Fromage

Boissons

Cocktail hollywoodien

Ingrédients

➤ 300 ml (1 1/4 tasse)
  - de jus d'orange non sucré
  - de jus de pomme brut non sucré
  - de jus de raisin blanc non sucré
  - de jus de pamplemousse non sucré

➤ 125 ml (1/2 tasse) de jus de citron fraîchement pressé

➤ 50 ml (1/4 tasse) de glaçons pilés

➤ 1 pomme rouge évidée et tranchée

➤ 1 carambole tranchée

➤ 250 ml (1 tasse) d'eau gazéifiée

Préparation

■ Verser tous les jus de fruits dans un grand pichet puis ajouter les glaçons pilés, les tranches de pomme et de carambole.

■ Bien mélanger et verser dans des verres.

■ Ajouter un peu d'eau gazéifiée dans chaque verre juste avant de servir.

Cocktail du jardin

Ingrédients

➤ 125 ml (1/2 tasse) de céleri haché

➤ 1 poivron vert coupé grossièrement

➤ 1 pomme pelée et coupée en cubes

➤ 500 ml (2 tasses) de lait

➤ 250 ml (1 tasse) de yogourt nature

➤ Sel et poivre (au goût)

Préparation

■ Au robot culinaire, réduire en purée le céleri, le poivron vert, les cubes de pomme et 50 ml (1/4 tasse) de lait.

■ Graduellement, ajouter le reste du lait, le yogourt, le sel et le poivre.

■ Bien mélanger puis réfrigérer jusqu'au moment de servir.

Velouté de tomate glacé

4 portions

Ingrédients

➤ 6 tomates broyées

➤ 1 branche de céleri hachée grossièrement

➤ 1/2 poivron jaune haché grossièrement

➤ 1 gousse d'ail hachée

➤ 2 échalotes hachées

➤ 15 ml (2 c. à soupe) de jus de citron frais

➤ 5 ml (1 c. à thé) de basilic séché

➤ 5 ml (1 c. à thé) de coriandre moulue

➤ Sel et poivre

➤ 15 ml (1 c. à soupe) de zeste de citron

➤ 5 ml (1 c. à thé) de persil frais, haché

➤ Feuilles de basilic frais, pour décorer

Préparation

■ Au robot culinaire, réduire en purée tous les ingrédients, sauf le zeste de citron, le persil et le basilic.

■ Réfrigérer au moins 6 heures.

■ Garnir de zeste de citron, de persil et de basilic frais.

Potages
et soupes

Crème de brocoli

Ingrédients

➤ 750 ml (3 tasses) de brocoli en bouquets

➤ 1 oignon moyen, émincé très fin

➤ 500 ml (2 tasses) de bouillon de poulet dégraissé

➤ 500 ml (2 tasses) de lait écrémé

➤ 30 ml (2 c. à soupe) de persil frais, haché finement

➤ 1 ml (1/4 c. à thé) de thym

➤ Sel et poivre, au goût

➤ 125 ml (1/2 tasse) de crème 10 %

Préparation

■ Faire cuire les bouquets de brocoli et l'oignon dans le bouillon de poulet dégraissé.

■ Lorsque cuits, retirer les légumes (tout en conservant le jus de cuisson) et les réduire en purée au mélangeur.

■ Ajouter le lait écrémé au bouillon de cuisson. Ajouter les légumes réduits en purée et les fines herbes. Saler et poivrer au goût.

■ Laisser mijoter une dizaine de minutes.

■ Épaissir le potage avec la crème.

Potage au céleri

Ingrédients

➤ 6 branches de céleri avec les feuilles

➤ 1 l (4 tasses) de bouillon de poulet dégraissé

➤ 60 ml (1/4 tasse) de crème champêtre 15 %

➤ 15 ml (1 c. à soupe) de cerfeuil frais, haché

➤ 15 ml (1 c. à soupe) de persil frais, haché

➤ Sel et poivre, au goût

Préparation

◼ Laver et couper le céleri finement. Le faire cuire dans le bouillon de poulet une dizaine de minutes, à découvert.

◼ Retirer du feu. Ajouter la crème, le cerfeuil et le persil. Saler et poivrer.

◼ Bien mélanger.

◼ Au moment de servir, réchauffer quelques minutes, au besoin.

Potage de poivrons rouges

4 à 6 portions

Ingrédients

➤ 500 ml (2 tasses) de bouillon de légumes

➤ 500 ml (2 tasses) de bouillon de poulet dégraissé

➤ 375 ml (1 1/2 tasse) de poivrons rouges hachés grossièrement

➤ 1 gousse d'ail hachée

➤ 1 oignon haché

➤ 60 ml (1/4 tasse) de lait concentré écrémé

➤ Paprika, au goût

➤ Sel et poivre

➤ 1/2 poivron rouge coupé en lamelles

Préparation

■ Dans une casserole, mettre tous les ingrédients, sauf le poivron en lamelles. Porter à ébullition, puis réduire le feu et laisser mijoter 20 minutes.

■ Retirer la préparation du feu. Au mélangeur, la réduire en une purée bien lisse.

■ Incorporer le poivron en lamelles. Remettre le mélange sur le feu et poursuivre la cuisson 2 minutes. Servir.

Potage glacé au cari

Ingrédients

➤ 10 ml (2 c. à thé) d'huile d'olive

➤ 1 oignon moyen, haché finement

➤ 30 ml (2 c. à soupe) de cari en poudre

➤ 1 l (4 tasses) d'eau

➤ 800 g (1 lb 2/3 ou 27 oz) de pois verts décongelés et égouttés

➤ 125 ml (1/2 tasse) de vin blanc sec

➤ 50 ml (1/4 tasse) de bouillon de poulet dégraissé

➤ 125 ml (1/2 tasse) de mayonnaise maison

➤ 50 ml (1/4 tasse) de crème sure

➤ 15 ml (1 c. à soupe) de moutarde de Dijon

➤ 75 ml (1/3 tasse) de fromage râpé

Préparation

■ Faire chauffer l'huile dans une casserole et faire sauter l'oignon avec le cari en poudre pendant 2 minutes.

■ Ajouter l'eau, les pois verts, le vin blanc et le bouillon de poulet. Amener à ébullition.

■ Laisser mijoter à couvert pendant 20 minutes.

■ Au robot culinaire, bien mélanger cette préparation. Incorporer la mayonnaise, la crème sure et la

moutarde de Dijon. Mélanger jusqu'à consistance crémeuse.

■ Réfrigérer au moins 5 heures.

■ Au moment de servir, saupoudrer de fromage râpé.

Potage aux six légumes

Ingrédients

➤ 15 ml (1 c. à soupe) d'huile d'olive

➤ 1 gros oignon émincé

➤ 1 poireau émincé

➤ 2 branches de céleri coupées finement

➤ 2 poivrons rouges coupés en dés

➤ 1 poivron vert coupé en dés

➤ 1 bouquet garni ficelé (comprenent 1 feuille de laurier, quelques tiges de thym et de persil, quelques feuilles de céleri)

➤ 1 l (4 tasses) de bouillon de poulet dégraissé

➤ Sel et poivre, au goût

➤ 250 ml (1 tasse) de chou chinois haché finement

➤ Cerfeuil haché, au goût

Préparation

■ Faire chauffer l'huile dans une casserole. Y faire blondir l'oignon et le poireau émincés.

■ Ajouter le céleri, les poivrons, le bouquet garni et le bouillon de poulet. Saler et poivrer.

■ Laisser mijoter à feu moyen 20 minutes. Ajouter le chou chinois et laisser cuire 10 minutes.

■ Retirer le bouquet garni. Parsemer de cerfeuil haché au moment de servir.

Soupe aux champignons

Ingrédients

➤ 50 ml (1/4 tasse) d'huile d'olive

➤ 375 ml (1 1/2 tasse) de champignons émincés finement

➤ 1 oignon émincé

➤ 1 branche de céleri pelée et tranchée

➤ 1 gousse d'ail broyée

➤ 500 ml (2 tasses) de bouillon de légumes

➤ 500 g (1 lb) de tofu mou soyeux

➤ 15 ml (1 c. à soupe) de persil frais, haché

➤ 5 ml (1 c. à thé) de sel

➤ 2,5 ml (1/2 c. à thé) de thym

➤ 2,5 ml (1/2 c. à thé) de poivre

➤ 1 ml (1/4 c. à thé) de paprika

➤ Une pincée de muscade moulue

➤ 50 ml (1/4 tasse) de vin blanc sec

Préparation

■ Faire chauffer l'huile dans une grande casserole et faire sauter les champignons, l'oignon, le céleri et l'ail pendant 5 minutes.

■ Au robot culinaire, mélanger les légumes sautés avec le bouillon, le tofu, le persil, le sel, le thym, le poivre, le paprika, la muscade ainsi que le vin blanc.

■ Mélanger jusqu'à une consistance crémeuse.

■ Verser cette préparation dans une casserole et laisser mijoter 15 minutes. Servir.

Soupe au concombre et au yogourt

4 portions

Ingrédients

➤ 4 concombres pelés et épépinés

➤ 250 ml (1 tasse) de lait 1 %

➤ 2 échalotes hachées

➤ 1/2 gousse d'ail hachée

➤ Jus de 1 citron

➤ 8 feuilles de menthe fraîche

➤ 250 ml (1 tasse) de yogourt nature 1 %

➤ Sel et poivre

➤ 1 douzaine de brins de ciboulette ciselés

Préparation

■ Couper grossièrement la chair des concombres. La passer au robot culinaire avec le lait, les échalotes, l'ail, le jus de citron et la menthe, jusqu'à l'obtention d'une consistance crémeuse.

■ Verser la préparation dans un bol et y incorporer le yogourt, le sel et le poivre.

■ Bien mélanger.

■ Couvrir et réfrigérer.

■ Au moment de servir, orner de ciboulette ciselée.

Soupe glacée aux asperges et à l'avocat

6 portions

Ingrédients

➤ 500 ml (2 tasses) d'asperges cuites, hachées grossièrement

➤ 1 avocat pelé et dénoyauté

➤ 250 ml (1 tasse) de bouillon de poulet dégraissé

➤ 250 ml (1 tasse) de yogourt nature 1 %

➤ 1 gousse d'ail hachée

➤ 15 ml (1 c. à. soupe) de jus de limette

➤ Sel et poivre

Préparation

■ Au robot culinaire, réduire en purée tous les ingrédients.

■ Réfrigérer au moins 6 heures. Servir.

Entrées

Asperges au vin blanc

4 portions

Ingrédients

➤ 750 ml (3 tasses) d'eau

➤ 250 ml (1 tasse) de vin blanc

➤ 2 feuilles de laurier

➤ 24 asperges pelées, sans pied

➤ 1 tomate hachée

➤ 2 gousses d'ail hachées

➤ 10 ml (2 c. à thé) d'herbes de Provence

➤ Jus de 1 citron

➤ Sel et poivre

Préparation

■ Dans une casserole, porter à ébullition l'eau et le vin blanc avec les feuilles de laurier.

■ Déposer les asperges dans le liquide bouillant et les faire cuire environ 8 minutes ou jusqu'à ce qu'elles soient tendres. Les rafraîchir sous l'eau froide.

■ Dans un bol, mélanger le reste des ingrédients. Réserver.

■ Déposer les asperges dans une assiette. Napper du mélange de tomate aux herbes.

■ Servir.

Bocconcini aux tomates et au basilic

6 portions

Ingrédients

- 6 tomates
- 175 g (6 oz) de bocconcini
- 18 feuilles de basilic frais
- 18 petits bouquets de persil frais
- 5 ml (1 c. à thé) d'huile d'olive de première pression à froid
- Sel et poivre

Préparation

- Couper les tomates et le bocconcini en tranches fines.

- Dans une assiette, dresser en alternance les tranches de tomate, de bocconcini et les herbes fraîches.

- Humecter d'huile d'olive. Saler et poivrer.

- Décorer avec des feuilles de basilic et des bouquets de persil.

Bouchées aux crevettes et avocat

Ingrédients

➤ 30 grosses crevettes décortiquées, avec les queues

➤ 1/2 limette

➤ Poivre noir concassé, au goût

Guacamole

➤ 1/3 d'avocat

➤ 1 trait de jus de limette

➤ 2 ml (1/2 c. à thé) de coriandre fraîche, hachée, ou au goût

➤ 10 ml (2 c. à thé) de crème sure

➤ 5 ml (1 c. à thé) d'oignon haché très fin

➤ 10 ml (2 c. à thé) de chair de tomate, en dés minuscules

Préparation

▣ Chauffer le four à 180 °C (350 °F).

▣ Prendre les crevettes par la queue, les enrouler sur elles-mêmes et les piquer avec un cure-dent pour les maintenir en place. Les déposer sur une plaque à biscuits recouverte d'un papier d'aluminium légèrement huilé.

- Arroser les crevettes de jus de limette et saupoudrer de poivre noir concassé.

- Mettre au four pendant 5 minutes. Les crevettes sont cuites dès que la chair devient blanche et opaque.

- Laisser tiédir. Retirer les cure-dents et mettre à refroidir au frigo pendant quelques minutes.

- Dresser les crevettes dans une jolie assiette de service. Ajouter une touche de guacamole au centre des crustacés. Servir.

Guacamole

- Réduire l'avocat en purée à l'aide d'une fourchette.

- Ajouter tous les autres ingrédients et bien mélanger. Couvrir et réserver au frigo.

- Le guacamole est particulièrement savoureux lorsqu'il vient d'être préparé.

Concombres des fêtes

Ingrédients

➤ 2 1/2 concombres anglais

➤ 60 ml (1/4 tasse) de fonds d'artichauts

➤ 60 ml (1/4 tasse) de poivron rouge

➤ 60 ml (1/4 tasse) de poivron jaune

➤ 60 ml (1/4 tasse) de feta

➤ 60 ml (1/4 tasse) d'olives noires

➤ 60 ml (1/4 tasse) d'oignon rouge

➤ Origan frais, haché, au goût

➤ 10 ml (2 c. à thé) de vinaigre balsamique

➤ 30 ml (2 c. à soupe) d'huile d'olive

➤ Feuilles d'origan frais, pour décorer

Préparation

▪ Éplucher les concombres anglais et couper cha-cun en 12 tranches de 1,5 cm (3/4 po) d'épaisseur. Évider le centre à l'aide d'une petite cuillère sans percer le fond. Placer sur du papier absorbant.

▪ Les 6 ingrédients suivants doivent être taillés en très petits dés, d'un peu moins de 0,5 cm (1/4 po), avant d'être mesurés.

▪ Mélanger ensuite dans un bol.

- Ajouter l'origan et le vinaigre balsamique; mélanger.

- Verser l'huile d'olive, et mélanger de nouveau.

- Garnir les rondelles de concombre avec la préparation.

- Déposer une petite feuille d'origan sur les bouchées pour décorer.

- Dresser sur un plateau de service.

Concombres en ravier

4 à 6 portions

Ingrédients

- 4 concombres moyens
- 30 ml (2 c. à soupe) d'huile d'olive de première pression à froid
- 15 ml (1 c. à soupe) de vinaigre balsamique
- 2,5 ml (1/2 c. à thé) de moutarde de Dijon
- Sel et poivre
- 30 ml (2 c. à soupe) de persil frais, haché
- Feuilles de laitue romaine

Préparation

- Peler les concombres, les épépiner, les couper en tronçons et les émincer en fines lamelles, semblables à des langues de chat.

- Les poudrer de sel fin et les laisser dégorger au réfrigérateur pendant 3 ou 4 heures dans un contenant fermé.

- Passer les lamelles au tamis et les presser avec du papier absorbant pour bien les éponger.

- Dans un récipient hermétique, mélanger l'huile, le vinaigre, la moutarde, le sel et le poivre. Agiter vigoureusement. Verser sur les concombres.

- Garnir de persil frais.

- Servir en entrée sur une feuille de laitue.

Guacamole au tofu

Ingrédients

➤ 2 avocats bien mûrs

➤ 60 g (2 oz) de tofu mou

➤ 125 g (4 oz) de tofu ordinaire (ou mou)

➤ 60 ml (1/4 tasse) de mayonnaise

➤ 15 ml (1 c. à soupe) de jus de citron

➤ 2 tomates épépinées et coupées finement

➤ 1 gousse d'ail hachée

➤ 30 ml (2 c. à soupe) d'oignon émincé

➤ 1 ml (1/4 c. à thé) de poudre de chili

➤ 2,5 ml (1/2 c. à thé) de sel

➤ 0,5 ml (1/8 c. à thé) de poivre noir

➤ Persil italien, pour décorer

Préparation

■ Avec un couteau bien affûté, couper les avocats en deux et enlever les noyaux. Retirer la pulpe et la réduire en purée. Réserver.

■ Dans le récipient du mélangeur, combiner le tofu mou, le tofu ordinaire (ou mou), la mayonnaise et le jus de citron. Mélanger pour obtenir une consistance crémeuse.

■ Ajouter la purée d'avocat et bien mélanger.

■ Incorporer le reste des ingrédients et mélanger jusqu'à ce que la préparation soit homogène.

■ Garnir de persil italien et de tranches de tomate.

■ Servir immédiatement à la température ambiante, ou laisser refroidir 1 heure au réfrigérateur et servir froid. Au frigo, la surface du guacamole peut noircir si elle est exposée à l'air. Il est donc nécessaire de bien mélanger le tout avant de servir.

Gelée de crevettes

Ingrédients

➤ 30 ml (2 c. à soupe) de gélatine neutre

➤ 60 ml (1/4 tasse) de vin blanc sec, chaud

➤ 375 ml (1 1/2 tasse) de yogourt nature 1 %

➤ 60 ml (1/4 tasse) de fromage à la crème ramolli

➤ 5 ml (1 c. à thé) de persil haché

➤ 1 gousse d'ail hachée

➤ Sel, au goût

➤ 125 ml (1/2 tasse) de crevettes cuites et décortiquées

➤ 4 brins d'aneth frais, pour décorer

Préparation

■ Dissoudre la gélatine dans le vin chaud. Laisser tiédir.

■ Au robot culinaire, mélanger la gélatine et le reste des ingrédients, sauf les crevettes.

■ Répartir la moitié du mélange dans quatre rame- quins. Y déposer les crevettes et recouvrir celles-ci du reste du mélange. Couvrir les ramequins d'une pellicule de plastique. Réfrigérer 3 heures.

■ Servir dans les ramequins ou démouler.

■ Décorer avec les brins d'aneth.

Jardinière de tomates à l'estragon

Ingrédients

➤ 1 grosse tomate en quartiers

➤ 2 tomates roses en quartiers

➤ 3 petites tomates italiennes taillées en rondelles épaisses

➤ 250 ml (1 tasse) de tomates cerises rouges coupées en deux

➤ 1/2 concombre anglais coupé en gros dés

➤ Oignon blanc émincé, au goût

Vinaigrette à l'estragon

➤ 60 ml (1/4 tasse) de vinaigre à l'estragon ou de vin blanc

➤ 10 ml (2 c. à thé) de moutarde de Dijon

➤ 80 ml (1/3 tasse) de feuilles entières d'estragon frais

➤ Sel et poivre noir, au goût

➤ 160 ml (2/3 tasse) d'huile d'olive

Préparation

◼ Mélanger tous les ingrédients.

◼ Verser le tout dans un saladier ou une grande assiette de service.

■ Arroser de vinaigrette et servir aussitôt.

Vinaigrette à l'estragon

■ Mettre tous les ingrédients dans un pot muni d'un couvercle.

■ Secouer vigoureusement pour bien mélanger. Réserver au froid.

Poivrons grillés

Ingrédients

➤ 2 poivrons rouges

➤ 2 poivrons verts

➤ 2 poivrons jaunes

➤ 30 ml (2 c. à soupe) de basilic frais, haché

➤ 30 ml (2 c. à soupe) de câpres rincées et égouttées

➤ 15 ml (1 c. à soupe) de persil frais, haché

➤ 1 ml (1/4 c. à thé) de poivre noir

➤ 10 ml (2 c. à thé) d'huile d'olive

➤ 2 gousses d'ail émincées

➤ 4 feuilles de laitue romaine

Préparation

■ Faire griller les poivrons sous le gril en les retournant régulièrement, jusqu'à ce qu'ils soient noircis de tous côtés.

■ Les laisser refroidir légèrement avant de les peler; prendre bien soin d'en retirer le pédoncule et de les épépiner. Conserver le jus de cuisson.

■ Couper les poivrons en lanières et déposer celles-ci dans un bol, avec le jus de cuisson.

■ Ajouter le basilic, les câpres, le persil, le poivre et 5 ml (1 c. à thé) d'huile d'olive.

■ Dans un poêlon, faire revenir l'ail émincé dans le reste d'huile d'olive environ 1 minute. Déposer sur les poivrons, bien mélanger et servir immédiate-ment sur une feuille de laitue.

Salade de rapini

Ingrédients

➤ 1 botte de rapini

➤ 15 ml (1 c. à soupe) d'huile d'olive

➤ 1 oignon haché finement

➤ 2 gousses d'ail hachées

➤ 1/2 poivron rouge émincé

➤ 1/2 poivron vert émincé

➤ 125 ml (1/2 tasse) de champignons hachés finement

➤ 6 œufs

➤ 2,5 ml (1/2 c. à thé) de persil

➤ 1 ml (1/4 c. à thé) de cerfeuil

➤ 1 ml (1/4 c. à thé) de thym

➤ Sel et poivre

➤ 80 ml (1/3 tasse) de fromage râpé

Préparation

■ Hacher grossièrement le rapini et le faire blanchir environ 3 minutes. Bien égoutter.

■ Dans un grand poêlon, faire chauffer l'huile d'olive à feu modéré et y laisser revenir l'oignon et l'ail 3 minutes. Incorporer les poivrons et les champignons, et faire cuire 2 minutes de plus. Quand les légumes sont tendres, ajouter le rapini.

■ Battre les œufs avec les fines herbes, le sel et le poivre, puis verser sur les légumes. Saupoudrer le mélange de fromage râpé. Faire cuire à feu doux jusqu'à ce que les œufs soient presque pris. Mettre à gratiner sous le gril.

Salade tiède d'olives noires et de tomates rôties à la moutarde forte

4 portions

Ingrédients

- 6 belles tomates italiennes
- Huile d'olive, pour badigeonner
- Sel et poivre, au goût
- 15 à 30 ml (1 à 2 c. à soupe) d'huile d'olive
- 1 poivron jaune coupé en lanières
- 1/2 oignon coupé en petits quartiers
- 1 gousse d'ail hachée finement
- 2 douzaines d'olives noires
- 15 à 30 ml (1 à 2 c. à soupe) de moutarde de Dijon, au goût
- 4 grosses poignées de mesclun (mélange de feuilles de salades) du commerce

Vinaigrette

- 60 ml (1/4 tasse) de vinaigre de vin blanc
- 15 ml (1 c. à soupe) de moutarde de Dijon
- 5 ml (1 c. à thé) de sucre
- Sel et poivre, au goût
- 180 ml (3/4 tasse) d'huile d'olive

Préparation

- Préchauffer le four à 160 °C (325 °F).

- Couper les tomates italiennes en deux, dans le sens de la longueur.

- Disposer sur une plaque à biscuits, le côté coupé vers le haut.

- Badigeonner d'huile d'olive. Saler et poivrer.

- Placer au four 15 minutes.

- Retirer les tomates et réserver.

- Chauffer l'huile d'olive dans une grande poêle, à feu moyen.

- Ajouter le poivron jaune et faire revenir 5 minutes, puis mettre l'oignon et faire revenir jusqu'à ce que les légumes commencent tout juste à être tendres.

- Ajouter l'ail et les olives noires. Bien mélanger et laisser cuire 7 ou 8 minutes de plus.

- Incorporer la moutarde de Dijon, mélanger et retirer du feu. Laisser tiédir. Déposer une grosse poignée de mesclun dans chaque assiette.

- Lorsque le mélange est tiède, le répartir sur la salade. Ajouter trois morceaux de tomate par assiette.

- Arroser d'un filet de vinaigrette et servir aussitôt.

Vinaigrette

- Mettre tous les ingrédients dans un bol, à l'exception de l'huile. Bien mélanger.

- Verser l'huile en filet tout en fouettant.

- Réserver au froid.

Tomates jaunes aux crevettes

Ingrédients

➤ 8 tomates jaunes coupées en deux et évidées

➤ Sel

➤ 1 tomate rouge en dés

➤ 1 oignon haché

➤ 1 piment jalapeño haché

➤ 1/4 de poivron vert, en dés

➤ 1/4 de poivron orange, en dés

➤ Jus de 1/2 limette

➤ Sel et poivre

➤ 375 g (3/4 lb) de crevettes cuites et décortiquées, hachées grossièrement

➤ Feuilles d'endives, pour décorer

Préparation

■ Saler l'intérieur des tomates jaunes et les laisser dégorger, côté chair, dans une assiette.

■ Mélanger la tomate rouge, l'oignon, le piment, les dés de poivrons, le jus de limette, le sel et le poivre. Laisser mariner 30 minutes.

■ Ajouter les crevettes au mélange de légumes.

■ Farcir les tomates jaunes de cette préparation et les disposer dans un plat de service. Décorer avec des feuilles d'endives.

Truite fumée au raifort

Ingrédients

➤ 250 ml (1 tasse) de raifort frais, râpé

➤ 125 ml (1/2 tasse) de vinaigre balsamique ou de vinaigre de vin blanc

➤ 45 à 60 ml (3 à 4 c. à soupe) de mayonnaise maison

➤ 1 pincée de sel

➤ 4 tomates moyennes ou 8 petites

➤ 4 feuilles de laitue romaine ou Boston

➤ 4 tranches de truite fumée

➤ 1 concombre en bâtonnets

➤ 1/2 poivron jaune en rondelles, pour décorer

➤ 1/2 poivron rouge en rondelles, pour décorer

➤ 10 brins de ciboulette hachés, pour décorer

➤ Brins d'aneth frais, pour décorer

Préparation

■ Bien mélanger les 3 premiers ingrédients et saler, au goût. Décalotter les tomates du côté du pédoncule, les évider sans les crever et les farcir de cette préparation.

■ Disposer une feuille de laitue dans chaque assiette de service. Y déposer la truite fumée, une tomate farcie, des bâtonnets de concombre, des rondelles de poivron et de la ciboulette hachée. Parsemer le tout de brins d'aneth frais.

Quartiers d'avocat à l'orange et aux graines de pavot

8 portions

Ingrédients

➤ 4 avocats mûrs

Garniture à l'orange et aux graines de pavot

➤ 2 oranges

➤ 60 ml (1/4 tasse) d'oignon rouge haché

➤ 30 ml (2 c. à soupe) de graines de pavot

➤ 15 ml (1 c. à soupe) de jus de citron

➤ 125 ml (1/2 tasse) d'huile d'olive

➤ Sel et poivre, au goût

Préparation

▪ Couper les avocats en quartiers.

▪ Détacher le noyau et retirer la peau.

▪ Disposer les quartiers d'avocat dans une assiette de service.

▪ Y verser la garniture à l'orange et aux graines de pavot.

Garniture à l'orange et aux graines de pavot

▪ Peler les oranges à vif et en prélever les morceaux de chair en coupant entre les membranes; travailler au-dessus d'un bol pour recueillir le jus. Réserver la chair.

■ Ajouter tous les autres ingrédients au jus d'orange et bien mélanger au fouet.

■ Ajouter les morceaux d'orange.

■ Réserver au frais.

Viandes

Chaussons de chevreuil

4 portions

Ingrédients

➤ 15 ml (1 c. à soupe) d'huile d'olive

➤ 375 ml (1 1/2 tasse) de poireaux émincés

➤ 125 ml (1/2 tasse) de champignons émincés

➤ 125 ml (1/2 tasse) de poivrons rouge et vert émincés

➤ 1 gousse d'ail hachée

➤ 350 g (3/4 lb) de chevreuil (ou de bœuf) haché

➤ 80 ml (1/3 tasse) de persil frais, haché

➤ 5 ml (1 c. à thé) de basilic frais, haché

➤ Sel et poivre

➤ 8 feuilles de laitue chinoise

➤ 45 ml (3 c. à soupe) de pâte de tomates

➤ 250 ml (1 tasse) de jus de légumes

➤ 60 ml (1/4 tasse) de parmesan râpé

Préparation

■ Préchauffer le four à 180 °C (350 °F).

■ Dans une casserole, faire chauffer l'huile à feu moyen et faire revenir les poireaux, les champignons, les poivrons et l'ail. Ajouter le chevreuil et poursuivre la cuisson environ 3 minutes, en remuant de temps à autre. Ajouter le persil, le basilic, le sel et le poivre, et poursuivre la cuisson 2 minutes. Retirer du feu. Laisser reposer 10 minutes.

■ Étendre les feuilles de laitue sur un plan de travail. Déposer une petite quantité de viande au centre de chaque feuille. Replier de façon à obtenir des chaussons. Déposer le tout dans un plat à gratin. Tartiner chaque chausson d'une petite quantité de pâte de tomates. Verser le jus de légumes et saupoudrer de parmesan râpé. Cuire au four 20 minutes.

Cocotte de veau à la tomate

4 à 6 portions

Ingrédients

- ➤ 60 ml (1/4 tasse) d'huile d'olive
- ➤ 4 petits oignons émincés
- ➤ 1 feuille de sauge
- ➤ 2 ml (1/2 c. à thé) de romarin séché
- ➤ 1 épaule de veau désossée de 2 kg (4 lb), en morceaux
- ➤ 1 poivron vert épépiné et émincé
- ➤ 1 poivron rouge épépiné et émincé
- ➤ 4 tomates en rondelles
- ➤ 160 ml (2/3 tasse) de vin blanc
- ➤ Sel et poivre, au goût
- ➤ 1 bouquet garni (1 branche de thym, 1 branche de persil et 1 feuille de laurier)
- ➤ 100 g (3 1/2 oz) d'olives noires dénoyautées

Préparation

- ▪ Faire chauffer 20 ml (4 c. à thé) d'huile d'olive dans une casserole. Y ajouter les oignons, la sauge et le romarin. Laisser fondre doucement en remuant. Réverver.

- ▪ Faire dorer les morceaux de veau à la poêle avec le reste de l'huile. Une fois qu'ils sont colorés, les égoutter et les réserver.

■ Faire revenir les poivrons vert et rouge à la poêle 3 minutes. Ajouter les morceaux de viande, les oignons et les tomates.

■ Ajouter le vin, puis assaisonner. Incorporer le bouquet garni et les olives. Poursuivre la cuisson à feu doux environ 45 minutes. Servir.

Croquettes d'agneau

4 à 6 portions

Ingrédients

➤ 750 g (1 1/2 lb) d'agneau maigre haché

➤ 1 oignon moyen haché finement

➤ 30 ml (2 c. à soupe) de xérès

➤ 5 ml (1 c. à thé) de sel

➤ 2,5 ml (1/2 c. à thé) de poivre noir

➤ 2,5 ml (1/2 c. à thé) de paprika

➤ 1 ml (1/4 c. à thé) de muscade

➤ 45 ml (3 c. à soupe) de menthe séchée
   ou 80 ml (1/3 tasse) de menthe fraîche

Préparation

▪ Préchauffer le four à 180 °C (350 °F).

▪ Mélanger tous les ingrédients de manière à obtenir une texture homogène.

▪ Façonner le mélange en croquettes.

▪ Placer celles-ci dans le four à mi-hauteur et les faire dorer de 6 à 8 minutes de chaque côté.

▪ Il est aussi possible de faire frire les croquettes dans un poêlon. En ce cas, la cuisson se fait à feu moyen et exige de 6 à 8 minutes.

Escalopes de veau farcies

Ingrédients

➤ 3 tomates épépinées

➤ 1 gousse d'ail hachée

➤ 2 poivrons verts émincés

➤ 6 champignons émincés

➤ 5 ml (1 c. à thé) d'origan frais

➤ 1 ml (1/4 c. à thé) de clou de girofle moulu

➤ 2,5 ml (1/2 c. à thé) de poivre noir

➤ 4 escalopes de veau

➤ Persil frais, pour garnir

Préparation

■ Préchauffer le four à 180 °C (350 °F).

■ Écraser les tomates.

■ Dans une casserole, incorporer les tomates, l'ail, les poivrons verts, les champignons, l'origan, le clou de girofle et le poivre.

■ Laisser mijoter environ 20 minutes.

■ Farcir les escalopes de veau avec la préparation et les rouler. Pour les maintenir enroulées, utiliser deux cure-dents.

■ Déposer les escalopes dans un plat allant au four, les laisser griller environ 20 minutes ou jusqu'à ce que le veau soit bien cuit.

■ Retirer les cure-dents, garnir de persil frais et servir.

Foie de veau à l'oignon et à la framboise

4 portions

Ingrédients

➤ 500 g (1 lb) de foie de veau

➤ 15 ml (1 c. à soupe) d'huile d'olive

➤ 2 oignons rouges émincés

➤ Sel et poivre

➤ 30 ml (2 c. à soupe) de vinaigre de framboise

Préparation

▪ Couper le foie de veau en lamelles.

▪ Faire chauffer l'huile à feu moyen et y laisser revenir les oignons environ 5 minutes. Saler et poivrer.

▪ Ajouter les lamelles de foie et faire cuire à feu vif environ 3 minutes.

▪ Ajouter le vinaigre de framboise. Retirer du feu et servir.

Hamburgers épicés

Ingrédients

- ➤ 500 g (1 lb) de bœuf maigre haché
- ➤ 1 œuf battu
- ➤ 2 échalotes émincées
- ➤ 1 gousse d'ail émincée
- ➤ 30 ml (2 c. à soupe) de pâte de tomates
- ➤ 5 ml (1 c. à thé) de poudre de chili
- ➤ 1 ml (1/4 c. à thé) de piment de Cayenne
- ➤ 2 gouttes de tabasco

Préparation

- ■ Défaire le bœuf haché à la fourchette. Ajouter l'œuf, puis les oignons, l'ail, la pâte de tomates et les assaisonnements. Bien mélanger.
- ■ Façonner 4 boulettes bien fermes.
- ■ Cuire dans un poêlon à feu moyen jusqu'à la cuisson désirée.
- ■ Servir avec du brocoli.

Osso buco à la tomate

Ingrédients

➤ 4 tranches de jarret de veau de 4 cm (1 1/2 po) d'épaisseur

➤ 5 tomates

➤ 45 ml (3 c. à soupe) d'huile d'olive

➤ 1 oignon émincé

➤ Sel et poivre, au goût

➤ 175 ml (2/3 tasse) de vin blanc sec

➤ 125 ml (1/2 tasse) de bouillon de légumes ou de poulet

➤ 1/2 botte de persil

➤ 1 citron

➤ 3 gousses d'ail pelées et hachées

Préparation

■ Ébouillanter les tomates 1 ou 2 minutes. Ensuite, les peler et les couper en deux pour les vider. Ne garder que la chair et couper celle-ci en gros dés.

■ Faire chauffer l'huile dans un grand poêlon. Faire roussir les oignons puis faire revenir les morceaux de viande de chaque côté. Incorporer les dés de tomate. Saler et poivrer au goût.

- Arroser la viande avec le vin blanc et laisser réduire quelques minutes. Ajouter le bouillon, couvrir et laisser réduire à feu doux pendant 1 heure.

- Détacher les feuilles de persil et les hacher. Râper les zestes de citron. Mélanger l'ail, le persil et le zeste de citron.

- Lorsque la viande est cuite, la retirer du poêlon.

- Continuer la cuisson pour faire réduire la sauce. Puis, réintégrer la viande en saupoudrant le tout du mélange ail-persil-citron.

- Laisser chauffer encore quelques minutes et servir bien chaud.

Pain de viande

4 portions

Ingrédients

➤ 500 g (1 lb) de bœuf maigre haché

➤ 80 ml (1/3 tasse) de céleri haché finement

➤ 80 ml (1/3 tasse) de poivron vert en dés

➤ 80 ml (1/3 tasse) d'oignon haché

➤ 1 œuf

➤ 60 ml (1/4 tasse) de jus de tomate

➤ 30 ml (2 c. à soupe) de germe de blé

➤ 2,5 ml (1/2 c. à thé) de basilic

➤ 1 ml (1/4 c. à thé) de marjolaine

➤ 1 ml (1/4 c. à thé) de poivre

Préparation

■ Préchauffer le four à 180 °C (350 °F).

■ Mélanger tous les ingrédients.

■ Déposer le mélange dans un moule à pain de 21 cm x 12 cm x 6,5 cm (8 1/2 po x 4 1/2 po x 2 5/8 po) graissé. Couvrir de papier d'aluminium.

■ Faire cuire au four préchauffé environ 45 minutes.

■ Découvrir et poursuivre la cuisson environ 20 minutes.

Pain de viande d'agneau

6 portions

Ingrédients

➤ 750 g (1 1/2 lb) d'agneau maigre haché

➤ 175 ml (3/4 tasse) de fromage râpé

➤ 1 oignon haché

➤ 1 tomate hachée

➤ 15 ml (1 c. à soupe) de persil frais, haché

➤ 10 ml (2 c. à thé) d'estragon séché

➤ 10 ml (2 c. à thé) de moutarde de Dijon

➤ 5 ml (1 c. à thé) de cerfeuil

➤ Sel et poivre

➤ 1 œuf légèrement battu

➤ Feuilles de menthe fraîche

Préparation

■ Préchauffer le four à 180 °C (350 °F).

■ Dans un bol, mélanger tous les ingrédients.

■ Mettre le tout dans un moule à pain et faire cuire au four pendant 1 heure.

■ Décorer avec des feuilles de menthe fraîche.

Saucisses grillées

Ingrédients

➤ 450 g (1 lb) de saucisses entières
ou coupées en deux

Sauce

➤ 45 ml (3 c. à soupe) de moutarde de Dijon

➤ 30 ml (2 c. à soupe) d'huile d'olive

➤ 15 ml (1 c. à soupe) de fructose

➤ 15 ml (1 c. à soupe) de thym séché

➤ 5 ml (1 c. à thé) de racine de gingembre frais,
pelée et râpée

➤ 5 ml (1 c. à thé) de persil frais, haché

➤ Poivre, au goût

Préparation

■ Préchauffer le four à 180 °C (350 °F).

■ Dans un bol, mélanger tous les ingrédients de la
sauce.

■ Badigeonner les saucisses de cette sauce.

■ Déposer les saucisses sur une plaque de cuisson
et cuire au four environ 15 minutes.

■ En cours de cuisson, badigeonner les saucisses
de la sauce.

Volaille

Blanc de dinde à la provençale

Ingrédients

➤ 4 escalopes de dinde

➤ 60 ml (1/4 tasse) d'huile d'olive

➤ 3 gousses d'ail pelées et hachées

➤ 5 ml (1 c. à thé) d'herbes de Provence

➤ 500 g (1 lb) de tomates, coupées en fines rondelles

➤ Sel et poivre, au goût

➤ 300 g (10 1/2 oz) de mozzarella coupée en dés

➤ 60 ml (1/4 tasse) de parmesan râpé

Préparation

■ Préchauffer le four à 200 °C (400 °F).

■ Faire chauffer l'huile dans un poêlon et y faire revenir l'ail. Réserver.

■ Dans le même poêlon, faire revenir les escalopes de dinde environ 10 minutes avec les herbes de Provence. Par la suite, couper les escalopes en deux dans le sens de l'épaisseur.

■ Graisser un plat à gratin avec de l'huile d'olive.

■ Disposer alternativement dans le plat une tranche d'escalope de dinde et une rondelle de tomate. Saler et poivrer au goût.

- Parsemer d'ail puis ajouter les dés de mozzarella.
- Saupoudrer le tout de parmesan.
- Faire cuire au four environ 20 minutes.

Cuisses de poulet à la créole

4 portions

Ingrédients

➤ 1 petit oignon râpé

➤ 2 gousses d'ail hachées

➤ 125 ml (1/2 tasse) de feuilles de céleri grossièrement hachées

➤ 60 ml (1/4 tasse) de ciboulette fraîche, ciselée

➤ 15 ml (1 c. à soupe) d'origan frais, haché grossièrement

➤ 1 ou 2 piments habaneros frais, hachés

➤ 30 ml (2 c. à soupe) de jus de limette

➤ 30 ml (2 c. à soupe) de jus de citron

➤ Huile d'olive, pour couvrir

➤ 12 hauts de cuisses de poulet, sans la peau

Nota : avant de hacher les habaneros, les épépiner et en retirer la membrane. Ces piments sont très forts, et certaines personnes ont des réactions cutanées à leur contact. Porter des gants et éviter de se frotter les yeux lorsqu'on les manipule.

Préparation

▪ Mélanger les 8 premiers ingrédients dans un bol.

▪ Verser l'huile d'olive pour en recouvrir les ingrédients.

- Placer les hauts de cuisses de poulet dans un plat peu profond huilé.

- Répartir toute la préparation sur le poulet.

- Couvrir d'une pellicule de plastique et réfrigérer pendant 24 heures.

- Le lendemain, remplacer la pellicule de plastique par un papier d'aluminium perforé.

- Placer au four préchauffé à 160 °C (325 °F) pendant 30 minutes.

- Retirer le papier d'aluminium et poursuivre la cuisson 45 minutes.

- Servir ce plat à des amateurs de sensations fortes!

Cuisses de poulet au yogourt

4 portions

Ingrédients

➤ 4 cuisses de poulet entières

Marinade

➤ 250 ml (1 tasse) de yogourt nature 0 %

➤ 125 ml (1/2 tasse) de vin blanc sec

➤ 60 ml (1/4 tasse) d'huile d'olive

➤ 45 ml (3 c. à soupe) de persil frais, haché

➤ 30 ml (2 c. à soupe) de coriandre fraîche

➤ 2 gousses d'ail écrasées

➤ Jus de 1/2 citron pressé

➤ 1 pincée de fructose

➤ Sel et poivre, au goût

Préparation

▪ Dans un bol, mélanger tous les ingrédients de la marinade.

▪ Dans un plat de service, déposer le poulet et verser la marinade. Couvrir et réfrigérer au moins 4 à 8 heures.

▪ Préchauffer le four à 180 °C (350 °F).

■ Déposer les cuisses de poulet dans un plat huilé allant au four. Couvrir de papier d'aluminium, puis mettre au four. Cuire 30 minutes et ensuite retirer et laisser cuire à découvert de 30 à 45 minutes supplémentaires. Vérifier la cuisson avant de retirer du four.

Escalopes de dinde à l'huile d'olive

4 portions

Ingrédients

➤ 80 ml (1/3 tasse) d'huile d'olive

➤ Zeste de 1 citron

➤ 15 ml (1 c. à soupe) de grains de poivre noir entiers

➤ 1 poignée de feuilles entières de basilic frais, lavées et bien essorées

➤ 4 escalopes de dinde

Préparation

▪ Faire chauffer l'huile dans une grande poêle à feu moyen-vif.

▪ Lorsqu'elle est chaude, y jeter le zeste de citron, les grains de poivre noir et les feuilles de basilic.

▪ Retirer les feuilles de basilic de l'huile dès qu'elles sont frites, après 1 minute environ.

▪ Réserver les feuilles de basilic.

▪ Mettre les escalopes de dinde dans l'huile chaude et les cuire 4 ou 5 minutes de chaque côté, selon l'épaisseur, ou jusqu'à ce que toute trace rosée ait disparu au centre de la chair.

▪ Dresser les escalopes sur les assiettes de service. Ajouter quelques gouttes d'huile d'olive, le zeste de citron et les grains de poivre.

▪ Garnir avec des feuilles de basilic.

Fricassée de poulet et de cœurs d'artichauts

4 portions

Ingrédients

➤ 4 petites poitrines de poulet coupées en deux ou en trois dans le sens de la longueur

➤ 2 gousses d'ail hachées finement

➤ 15 ml (1 c. à soupe) de moutarde de Dijon

➤ 45 à 60 ml (3 à 4 c. à soupe) d'huile d'olive

➤ 6 petites tomates italiennes coupées en deux

➤ 12 cœurs d'artichauts en conserve, coupés en deux

➤ Sel et poivre, au goût

➤ 45 ml (3 c. à soupe) de pesto

Préparation

■ Bien mélanger le poulet, l'ail, la moutarde de Dijon et un peu d'huile d'olive.

■ Dans une grande casserole, faire chauffer l'huile d'olive à feu moyen-vif et y laisser revenir les morceaux de poulet jusqu'à ce qu'ils soient cuits.

■ Ajouter les tomates italiennes, réduire le feu à moyen-doux et poursuivre la cuisson, la casserole à demi couverte, pendant 10 minutes.

■ Ajouter les cœurs d'artichauts et le pesto. Saler et poivrer.

■ Bien mélanger le tout et laisser cuire 7 ou 8 minutes de plus, le récipient toujours à demi couvert.

Hamburgers à la dinde

Ingrédients

- ➤ 60 ml (1/4 tasse) de germe de blé
- ➤ 45 ml (3 c. à soupe) de bouillon de poulet dégraissé
- ➤ 45 ml (3 c. à soupe) de ciboulette fraîche, hachée
- ➤ 45 ml (3 c. à soupe) de parmesan râpé
- ➤ 30 ml (2 c. à soupe) de persil frais, haché
- ➤ 15 ml (1 c. à soupe) de noisettes hachées
- ➤ 1 ml (1/4 c. à thé) de sel de céleri
- ➤ 1 œuf battu
- ➤ Poivre, au goût
- ➤ 500 g (1 lb) de dinde hachée

Préparation

- ■ Dans un bol, bien mélanger tous les ingrédients, sauf la dinde hachée.

- ■ Ajouter la dinde hachée puis bien mélanger avec les autres ingrédients. Façonner 4 boulettes bien fermes.

- ■ Mettre un peu d'huile dans un poêlon et faire revenir les boulettes. Cuire environ 7 minutes de chaque côté ou jusqu'à ce que la viande soit bien cuite.

- ■ Servir avec des lentilles ou une purée de pois chiches.

Magrets de canard

Ingrédients

➤ 4 magrets (poitrines) de canard avec ou sans la peau

Marinade

➤ 250 ml (1 tasse) de vin rouge

➤ 125 ml (1/2 tasse) de poireau, haché finement

➤ 30 ml (2 c. à soupe) d'huile d'olive

➤ 5 ml (1 c. à thé) d'herbes de Provence

➤ 2 ml (1/2 c. à thé) de poivre noir

➤ 1 ml (1/4 c. à thé) de cannelle

➤ 2 clous de girofle

➤ 1 gousse d'ail hachée finement

➤ Sel, au goût

Préparation

■ Dans un bol, mélanger tous les ingrédients de la marinade.

■ Quadriller la peau des poitrines de canard avec un couteau très bien affûté, sans faire d'entaille dans la chair, et déposer les poitrines dans la marinade. Laisser mariner 4 heures ou plus au réfrigérateur.

■ Dans un grand poêlon, faire dorer les magrets côté peau à feu doux-moyen environ 8 minutes, puis 6 minutes côté chair. Ajouter un peu d'eau et poursuivre jusqu'à la cuisson désirée.

Poulet et marinade au yogourt

Ingrédients

➤ 1 kg (2 lb) de poitrines de poulet désossées et sans la peau

Marinade

➤ 325 ml (1 1/3 tasse) de yogourt nature ferme

➤ 1/2 petit oignon haché

➤ 15 ml (1 c. à soupe) de jus de citron

➤ 15 ml (1 c. à soupe) de racine de gingembre pelée et râpée

➤ 1/2 piment jamaïcain épépiné

➤ 5 ml (1 c. à thé) de cumin

➤ 5 ml (1 c. à thé) de persil frais, haché

➤ 2,5 ml (1/2 c. à thé) de curcuma

➤ 2,5 ml (1/2 c. à thé) de sel

➤ 1 ml (1/4 c. à thé) de cardamome

➤ 1 ml (1/4 c. à thé) de poivre

➤ 1 ml (1/4 c. à thé) de piment de Cayenne

Préparation

■ Au robot culinaire, mélanger tous les ingrédients de la marinade pour obtenir une consistance homogène.

- Déposer le poulet dans un plat peu profond. Y verser la marinade et en imbiber les poitrines de tous les côtés. Laisser mariner au réfrigérateur toute une nuit.

- Le lendemain, préchauffer le four à 220 °C (425 °F).

- Déposer les poitrines marinées sur une grille placée sur le dessus d'une lèchefrite au fond recouvert de papier d'aluminium. Enfourner et faire cuire de 20 à 30 minutes ou jusqu'à ce que la chair soit bien cuite. À mi-cuisson, retourner le poulet.

Poulet tandoori

Ingrédients

➤ 4 poitrines de poulet, sans la peau

Marinade

➤ 250 ml (1 tasse) de yogourt nature 0 %

➤ 60 ml (1/4 tasse) de jus de citron fraîchement pressé

➤ 15 ml (1 c. à soupe) de racine de gingembre pelée et râpée

➤ 10 ml (2 c. à thé) de paprika

➤ 5 ml (1 c. à thé) de cumin moulu

➤ 5 ml (1 c. à thé) de coriandre moulue

➤ 5 ml (1 c. à thé) de curcuma

➤ Une pincée de cardamome moulue

➤ Sel et poivre, au goût

➤ 2 gousses d'ail, hachée finement

➤ 1 piment jalapeño frais, épépiné et haché finement

➤ 2 feuilles de laurier

➤ Feuilles de laitue, pour décorer

➤ Quartiers de citron, pour décorer

Préparation

- Faire 2 ou 3 entailles sur les poitrines et réserver.

- Dans un bol, bien mélanger tous les ingrédients de la marinade.

- Dans un autre bol peu profond, déposer les poitrines de poulet et les enrober de la marinade. Laisser mariner toute la nuit au réfrigérateur.

- Le lendemain, retirer les feuilles de laurier.

- Préchauffer le four à 200 °C (400 °F).

- Disposer les poitrines dans un plat et verser un peu de marinade dessus. Cuire au four environ 1 heure en les arrosant de temps en temps avec la marinade.

- Lorsque les poitrines sont cuites, les poser sur des feuilles de laitue. Décorer avec des quartiers de citron et servir aussitôt.

Poissons
et fruits de mer

Brochettes de crevettes et d'aubergine

Ingrédients

➤ 30 ml (2 c. à soupe) de basilic frais, haché

➤ 30 ml (2 c. à soupe) de persil frais, haché

➤ 15 ml (1 c. à soupe) d'huile d'olive

➤ 4 gousses d'ail hachées

➤ 10 ml (2 c. à thé) de jus de citron

➤ 1 ml (1/4 c. à thé) de poivre noir

➤ 20 grosses crevettes fraîches, décortiquées et déveinées

➤ 250 ml (1 tasse) d'aubergine non pelée, coupée en cubes

➤ Quartiers de citron et basilic frais, pour garnir

Préparation

◾ Mélanger les 6 premiers ingrédients dans un bol. Y ajouter les crevettes et les morceaux d'aubergine, et laisser mariner 1 heure au réfrigérateur.

◾ Préchauffer le four à 230 °C (450 °F).

◾ Enfiler les crevettes en alternance avec les morceaux d'aubergine sur des brochettes de métal. Badigeonner de marinade. Placer au four une dizaine de minutes en prenant soin de retourner les brochettes et de les badigeonner pendant la cuisson.

◾ Garnir de basilic frais et de quartiers de citron.

Crevettes rôties au Pineau des Charentes

ngrédients

➤ 4 douzaines de grosses crevettes décortiquées avec les queues

➤ 60 ml (1/4 tasse) de Pineau des Charentes

➤ Poivre noir concassé, au goût

➤ 30 ml (2 c. à soupe) de cerfeuil défait en feuilles

➤ 15 ml (1 c. à soupe) d'aneth grossièrement haché

➤ 30 ml (2 c. à soupe) de ciboulette finement ciselée

Préparation

■ Préchauffer le four à 190 °C (375 °F).

■ Enfiler les crevettes sur des bâtonnets, dans le sens de la longueur.

■ Déposer les bâtons sur une plaque à pâtisserie tapissée d'un papier d'aluminium vaporisé d'huile d'olive.

■ Arroser les crevettes de Pineau des Charentes et saupoudrer de poivre noir concassé.

■ Faire cuire environ 5 minutes. Les crevettes sont cuites quand leur chair est blanche et opaque.

■ Saupoudrer de fines herbes et servir.

Nota : on peut remplacer le Pineau des Charentes par du vin blanc sec.

Darnes de flétan toutes garnies

Ingrédients

➤ 30 ml (2 c. à soupe) d'huile d'olive

➤ 2 petites gousses d'ail hachées

➤ 2 branches de céleri en petits dés

➤ 1 oignon émincé

➤ 1 grosse tomate épépinée et coupée en dés

➤ Jus de 1 citron

➤ 15 ml (1 c. à soupe) d'origan frais, haché

➤ 2 échalotes hachées

➤ 4 darnes de flétan

➤ Sel et poivre, au goût

➤ 15 ml (1 c. à soupe) de basilic frais, haché

➤ 2 citrons coupés en deux

➤ 4 feuilles de basilic

➤ 4 petites branches d'origan

Préparation

■ Préchauffer le four à 180 °C (350 °F).

■ Dans une grande poêle, faire chauffer l'huile d'olive
à feu moyen-vif et y laisser revenir l'ail, le céleri et
l'oignon jusqu'à ce qu'ils soient tendres.

- Ajouter la tomate et le jus de citron. Poursuivre la cuisson de 7 à 8 minutes.

- Ajouter l'origan et les échalotes; bien mélanger, puis retirer du feu.

- Huiler légèrement un plat peu profond allant au four et y dresser les darnes de flétan; saler et poivrer.

- Répartir le mélange de légumes sur le poisson.

- Placer au four et faire cuire de 15 à 20 minutes ou jusqu'à ce que le flétan soit cuit.

- Disposer les darnes dans des assiettes garnies d'un demi-citron. Saupoudrer de basilic frais, puis décorer de feuilles de basilic et de branches d'origan.

Nota: cette garniture inhabituelle donne au poisson un goût riche et frais. Essayez-la avec des filets de sole ou de turbot.

Escalopes d'espadon à la sauce Braggs

4 portions

Ingrédients

➤ 4 escalopes d'espadon de 60 g (2 oz) chacune

➤ Sauce Braggs (ou sauce tamari), au goût

➤ 45 ml (3 c. à soupe) de persil frais, haché

➤ 45 ml (3 c. à soupe) de basilic frais, haché

➤ 4 petits bouquets de persil frais

Préparation

■ Badigeonner d'huile d'olive une poêle à fond cannelé et faire chauffer à feu moyen.

■ Faire griller les escalopes d'espadon sur un côté pendant 1 minute, en les tournant d'un quart de tour à la mi-cuisson de façon à en carreler la surface. Badigeonner de sauce Braggs.

■ Retourner les escalopes et faire cuire pendant 1 1/2 minute. Retirer de la poêle. Laisser reposer 2 minutes.

■ Pendant ce temps, mélanger le persil et le basilic dans une assiette.

■ Enrober les escalopes du mélange d'herbes.

■ Garnir de bouquets de persil et servir avec des légumes.

Filets d'aiglefin à la tomate

Ingrédients

➤ 45 ml (3 c. à soupe) d'huile d'olive

➤ 1 oignon haché

➤ 500 g (1 lb) de tomates pelées et concassées

➤ 2 gousses d'ail émincées

➤ 1 feuille de thym

➤ Sel et poivre, au goût

➤ Une pincée de piment de Cayenne

➤ 750 g (1 1/2 lb) de filets d'aiglefin

➤ Persil haché

Préparation

■ Faire chauffer 15 ml (1 c. à soupe) d'huile d'olive dans une casserole et y faire revenir l'oignon 5 minutes en remuant.

■ Ajouter les tomates, l'ail et le thym. Mélanger et assaisonner. Ajouter une pincée de piment de Cayenne à la préparation. Laisser mijoter le tout à feu doux pendant 10 minutes, à découvert.

■ Dans une poêle, faire chauffer le reste de l'huile d'olive. Assaisonner les filets d'aiglefin et les faire cuire 5 minutes de chaque côté.

■ Retirer les filets d'aiglefin de la poêle et les déposer dans un plat de service. Retirer la branche de
thym de la sauce tomate. Napper les filets de poisson de la sauce. Saupoudrer de persil haché.
Servir.

Filets de turbot à la concassée de tomate

Ingrédients

➤ 4 filets de turbot

➤ 15 ml (1 c. à soupe) d'huile d'olive

➤ Poivre noir concassé, au goût

Concassée de tomate

➤ 5 grosses tomates fraîches, pelées et épépinées

➤ 45 ml (3 c. à soupe) d'huile d'olive

➤ 2 branches de céleri en petits dés

➤ 4 échalotes françaises émincées

➤ 180 ml (3/4 tasse) de tomates broyées

➤ 2 feuilles de laurier

➤ 60 ml (1/4 tasse) de basilic frais, haché

Préparation

■ Préchauffer le four à 180 °C (350 °F).

■ Badigeonner les filets de turbot d'huile d'olive, puis saupoudrer de poivre noir.

■ Faire cuire au four de 10 à 15 minutes ou jusqu'à ce qu'une écume blanche se forme à la surface des filets.

■ Déposer le poisson dans des assiettes. Napper de la concassée de tomate. Servir immédiatement.

Concassée de tomate

■ Couper les tomates en dés d'environ 1 cm (1/2 po) et réserver.

■ Dans une casserole, faire chauffer l'huile d'olive à feu moyen-doux.

■ Ajouter les dés de céleri et faire suer à couvert pendant 10 minutes.

■ Incorporer les échalotes françaises et poursuivre la cuisson 5 minutes.

■ Ajouter les tomates en dés, les tomates broyées et les feuilles de laurier.

■ Couvrir à moitié et faire cuire 10 minutes.

■ Ajouter le basilic et réserver au chaud.

Moules aux légumes

Ingrédients

- 750 ml (3 tasses) de vin blanc
- 2 kg (4 lb) de moules fraîches, bien nettoyées
- 125 ml (1/2 tasse) de courgette en lamelles
- 125 ml (1/2 tasse) de chanterelles entières
- 3 tomates en dés
- 125 ml (1/2 tasse) d'oignon émincé
- 2 gousses d'ail hachées
- 15 ml (1 c. à soupe) de persil haché
- 5 ml (1 c. à thé) de marjolaine
- Sel et poivre

Préparation

- Dans une grande casserole, amener le vin à ébullition. Ajouter les moules et bien mélanger. Ajouter le reste des ingrédients et mélanger à nouveau. Couvrir.

- À feu moyen, faire cuire les moules 5 minutes ou jusqu'à ce qu'elles s'ouvrent. Remuer à la mi-cuisson.

- Retirer la préparation du feu.

- Retirer les moules de la casserole avec une écumoire et les déposer dans quatre bols individuels. Répartir le jus de cuisson et les légumes entre les portions. Servir.

Moules marinière

4 portions

Ingrédients

➤ 3 kg (6 lb) de moules

➤ 30 ml (2 c. à soupe) d'huile d'olive

➤ 2 échalotes hachées

➤ 30 ml (2 c. à soupe) de persil frais, haché

➤ Sel et poivre, au goût

➤ 175 ml (3/4 tasse) de vin blanc

➤ 1 feuille de laurier

➤ 60 ml (1/4 tasse) de crème 10 %

Préparation

■ Gratter et laver les moules.

■ Dans une grande casserole, faire chauffer l'huile d'olive puis faire revenir les échalotes avec le persil, le sel et le poivre de 4 à 5 minutes. Ajouter le vin blanc et la feuille de laurier et poursuivre la cuisson 2 ou 3 minutes.

■ Ajouter les moules et couvrir.

■ Faire ouvrir les moules à feu vif, quelques minutes, en secouant plusieurs fois la casserole. Quand toutes les moules sont ouvertes, les retirer du feu et les déposer dans un plat de service creux à l'aide d'une écumoire, en conservant le jus de cuisson.

■ Couler le jus de cuisson dans un tamis au-dessus d'une autre casserole. Porter ce liquide à ébullition et y ajouter la crème. Verser sur les moules et servir immédiatement.

Pétoncles à la limette et au gingembre

4 portions

Ingrédients

➤ 45 ml (3 c. à soupe) d'huile d'olive

➤ 2 douzaines de gros pétoncles frais

➤ Poivre noir, au goût

➤ 4 poignées de mesclun

Vinaigrette à la limette et au gingembre

➤ 30 ml (2 c. à soupe) de jus de limette frais

➤ 15 ml (1 c. à soupe) de gingembre frais, haché

➤ Sel et poivre noir, au goût

➤ 180 ml (3/4 tasse) d'huile d'olive

Préparation

■ Faire chauffer l'huile d'olive dans une poêle à feu moyen-vif. Y déposer les pétoncles.

■ Laisser cuire 30 secondes du premier côté. Retourner et poursuivre la cuisson 30 secondes. Les pétoncles sont prêts dès que la chair est opaque.

■ Retirer du feu, puis saupoudrer de poivre noir.

■ Dresser sur un côté des assiettes de service et laisser tiédir.

■ Dresser la salade à côté des pétoncles.

■ Arroser le tout de vinaigrette à la limette et au gingembre.

Vinaigrette à la limette et au gingembre

■ Dans un bol, bien mélanger tous les ingrédients à l'exception de l'huile d'olive.

■ Ajouter l'huile en filet en fouettant constamment. Réserver au froid.

Potage au céleri
p. 28

**Soupe
au concombre
et yogourt**
p. 35

**Guacamole
au tofu**
p. 46

**Bouchées
de crevettes
et avocat**
p. 41

Cuisses de poulet
au yogourt
p. 85

Poulet
et marinade
au yogourt
p. 92

Filet d'aiglefin à la tomate
p. 104

Darnes
de flétan
toutes garnies
p. 101

Frittata aux tomates séchées
et aux olives noires
p. 127

Perles du Moyen-Orient
p. 166

Tofu au gingembre
p. 173

**Flan aux pêches
et au yogourt**
p. 180

**Pruneaux
aux amandes**
p. 186

Salade niçoise au thon

Ingrédients

➤ 1 boîte (250 g ou 9 oz) de thon dans l'eau, égoutté

➤ 4 œufs durs

➤ 4 filets d'anchois

➤ 2 petits concombres

➤ 4 tomates coupées en quartiers

➤ 3 échalotes émincées (tiges comprises)

➤ 1 cœur de laitue

➤ 125 ml (1/2 tasse) d'olives noires dénoyautées

Vinaigrette

➤ 30 ml (2 c. à soupe) de vinaigre de vin rouge

➤ 15 ml (1 c. à soupe) de vinaigre balsamique

➤ 80 ml (1/3 tasse) d'huile d'olive

➤ 1 gousse d'ail pelée

➤ Sel et poivre, au goût

Préparation

■ Mettre les anchois à dessaler dans l'eau 10 minutes.

■ Peler les concombres et les couper en deux sur la longueur. Enlever les graines à l'aide d'une petite cuillère. Les couper en fines tranches.

■ Laver et essorer soigneusement la laitue. Diviser les feuilles en gros morceaux et les disposer au fond d'un plat de service.

■ Répartir les concombres, les tomates, les oignons et les olives sur la salade.

■ Essuyer les filets d'anchois avec du papier absorbant. Émietter le thon et le répartir sur les autres ingrédients.

■ Couper les œufs durs en quatre, les ajouter à la salade avec les anchois.

■ Mélanger les vinaigres et l'huile dans un bol. Avec un presse-ail, écraser la gousse d'ail au-dessus de la vinaigrette. Saler et poivrer.

■ Napper le tout de vinaigrette et servir immédiatement.

Saumon frais et sa fricassée de pleurotes

4 portions

Ingrédients

➤ 4 morceaux de saumon frais en escalopes
ou en darnes

➤ 2 ou 3 douzaines de pleurotes entiers,
selon la grosseur

➤ Sel et poivre, au goût

➤ 80 ml (1/3 tasse) de vin blanc sec

➤ Filet d'huile d'olive

Préparation

■ Faire chauffer un peu d'huile dans une grande poêle
à feu moyen. Y déposer les morceaux de saumon et
faire cuire environ 5 minutes de chaque côté. Le
saumon est prêt dès que la chair est opaque.

■ Retirer le saumon de la poêle et réserver au chaud.

■ Remettre la poêle à feu moyen-vif et y ajouter un
filet d'huile d'olive.

■ Y jeter les pleurotes et faire cuire 2 ou 3 minutes en
remuant. Les pleurotes sont prêts dès que les bords
sont dorés. Retirer du feu. Saler et poivrer au goût.

■ Ajouter le vin blanc et cuire 2 minutes de plus.

■ Dresser les morceaux de poisson sur les assiettes
de service et garnir de la fricassée de pleurotes.

Sole au citron

Ingrédients

➤ 500 g (1 lb) de filets de sole (plie)

➤ Sel et poivre

➤ 30 ml (2 c. à soupe) de jus de citron

➤ 15 ml (1 c. à soupe) d'huile d'olive

➤ 15 ml (1 c. à soupe) d'estragon frais, haché

Préparation

■ Préchauffer le four à 200 °C (400 °F).

■ Éponger les filets de sole et les étaler sur une plaque à biscuits antiadhésive. Saler et poivrer.

■ Arroser de jus de citron et d'un filet d'huile d'olive. Saupoudrer d'estragon. Enfourner et faire cuire environ 7 minutes. Allumer le gril et laisser dorer en surface environ 3 minutes. Servir nature.

Sole farcie aux poireaux et aux champignons

4 portions

Ingrédients

➤ 250 ml (1 tasse) de champignons de Paris en dés

➤ 60 ml (1/4 tasse) de poireau haché grossièrement

➤ 1 gousse d'ail hachée

➤ Sel et poivre

➤ 4 filets de sole de 150 g (5 oz) chacun

➤ 250 ml (1 tasse) de jus de légumes

➤ 45 ml (3 c. à soupe) de jus de citron frais

Préparation

■ Préchauffer le four à 180 °C (350 °F).

■ Dans un bol, mélanger les champignons, le poireau et l'ail. Saler et poivrer.

■ Étendre les filets de sole sur un plan de travail. Déposer une petite quantité de la préparation de légumes sur une des extrémités du poisson et rouler.

■ Déposer les filets farcis dans une assiette allant au four. Les arroser de jus de légumes et de jus de citron. Saler et poivrer.

■ Cuire le poisson au four pendant 15 minutes. Servir.

Truite au poivre et au citron en papillotes

Ingrédients

➤ 4 filets de truite de 185 g (6 oz) chacun, sans la peau

➤ 1 citron en tranches fines

➤ 1 limette en tranches fines

➤ 1 oignon rouge émincé finement, pour garnir

➤ Poivre noir concassé, au goût

➤ 4 petits brins de romarin frais

➤ 60 ml (1/4 tasse) de vin blanc sec

Préparation

■ Préchauffer le four à 180 °C (350 °F).

■ Sur la surface de travail, placer un grand morceau de papier d'aluminium ou de papier sulfurisé.

■ Y déposer un filet de truite. Le filet doit être étendu dans le sens de la largeur du papier.

■ Couvrir le filet de truite avec quelques rondelles de citron et de limette. Ajouter de l'oignon rouge et du poivre concassé. Déposer un brin de romarin frais.

■ Arroser d'un peu de vin blanc.

■ Rabattre le papier sur le poisson. Replier trois fois les bords sur eux-mêmes pour former un ourlet large de 1 cm (1/2 po) environ. Presser pour bien sceller et déposer sur une plaque à biscuits.

■ Répéter ces opérations pour les trois autres filets.

■ Placer au four pendant 12 minutes. Les papillotes seront bien gonflées. Sortir du four et placer les papillotes directement dans des assiettes.

■ Chaque convive ouvre sa papillote en la perçant avec sa fourchette, de manière à pouvoir humer le flux d'arômes qui s'en dégage. On fera toutefois attention à la vapeur qui s'en échappe.

Truite au vin blanc et au gingembre

Ingrédients

➤ 180 ml (3/4 tasse) de jus de légumes

➤ 30 ml (2 c. à soupe) de racine de gingembre pelée et râpée

➤ 1 gousse d'ail broyée

➤ 1 tomate hachée

➤ 60 ml (1/4 tasse) de vin blanc sec

➤ Sel et poivre

➤ 6 filets de truite saumonée de 150 g (5 oz) chacun

Préparation

■ Préchauffer le four à 180 °C (350 °F).

■ Dans un bol, mélanger le jus de légumes, le gingembre, l'ail, la tomate et le vin blanc. Saler et poivrer.

■ Déposer les filets de truite au centre d'une grande feuille de papier d'aluminium.

■ Replier le papier de façon à former une papillote. Verser la préparation de jus de légumes sur le poisson. Fermer la papillote. Cuire au four 15 minutes.

■ Retirer la truite du four. Entrouvrir la papillote. Laisser reposer 4 minutes.

■ Servir avec une garniture de légumes.

Truite aux avelines

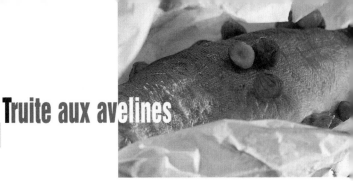

Ingrédients

➤ 4 truites arc-en-ciel de 250 g (1/2 lb) chacune

➤ 2 branches de céleri (ou leurs feuilles)

➤ 125 ml (1/2 tasse) d'avelines

➤ Sel et poivre, au goût

➤ 60 ml (4 c. à soupe) de vin blanc

➤ Brins d'aneth frais, pour décorer

Préparation

▪ Bien nettoyer les truites à l'eau claire et les éponger.

▪ Remplir la cavité des truites avec les branches ou les feuilles de céleri et la moitié des avelines. Saler et poivrer. Bien refermer.

▪ Huiler quatre feuilles de papier d'aluminium et y déposer les truites. Arroser chaque poisson de 15 ml (1 c. à soupe) de vin blanc et répartir le reste des avelines entre les quatre portions. Replier les feuilles de papier pour en faire des papillotes.

▪ Déposer les papillotes sur une plaque et les faire cuire au four environ 15 minutes ou jusqu'à ce que la chair s'effeuille à la fourchette.

▪ Au moment du service, décorer de brins d'aneth frais.

Truite farcie aux épinards

Ingrédients

- ➤ 4 truites arc-en-ciel de 250 g (1/2 lb) chacune
- ➤ 1/2 citron
- ➤ 10 feuilles de laitue romaine

Farce

- ➤ 80 ml (1/3 tasse) d'épinards surgelés, hachés
- ➤ 80 ml (1/3 tasse) de ricotta
- ➤ 30 ml (2 c. à soupe) de crème 10 %
- ➤ 15 ml (1 c.à soupe) de ciboulette
- ➤ 5 ml (1 c. à thé) de germe de blé
- ➤ 5 ml (1 c. à thé) de câpres
- ➤ 1 jaune d'œuf
- ➤ 2,5 ml (1/2 c. à thé) de cerfeuil
- ➤ Jus et zeste de 1/2 citron

Préparation

- ▪ Préchauffer le four à 180 °C (350 °F).

- ▪ Bien vider le poisson par le ventre et le placer sur une planche à découper, les écailles au-dessus. Exercer une pression des doigts tout le long de la colonne vertébrale, de manière à retirer celle-ci avec les arêtes.

122

■ Frotter l'intérieur et l'extérieur des truites avec le citron. Réserver.

■ Mettre les épinards surgelés dans une casserole et les faire cuire à feu doux jusqu'à évaporation complète du liquide. Incorporer la ricotta et bien mélanger le tout. Ajouter le reste des ingrédients de la farce.

■ Emplir la cavité des truites de cette farce et bien refermer les poissons. Les recouvrir des 10 feuilles de laitue romaine. Mettre dans un plat allant au four et couvrir de papier d'aluminium. Faire cuire au four 30 minutes ou jusqu'à ce que la chair s'effeuille à la fourchette.

Œufs

Frittata aux tomates séchées et aux olives noires

Ingrédients

➤ 30 ml (2 c. à soupe) d'huile d'olive

➤ 1 oignon émincé

➤ 1 gousse d'ail hachée

➤ 7 œufs

➤ 175 ml (2/3 tasse) de tomates séchées hachées grossièrement

➤ 175 ml (2/3 tasse) d'olives noires, en demies

➤ 15 ml (1 c. à soupe) de basilic frais, haché

➤ 30 ml (2 c. à soupe) de parmesan

➤ Sel et poivre, au goût

Préparation

■ Préchauffer le four à 160 °C (325 °F).

■ Huiler légèrement un plat à gratin.

■ Faire chauffer l'huile d'olive dans une poêle et y laisser revenir l'oignon pour bien l'attendrir. Ajouter l'ail et poursuivre la cuisson 2 minutes.

■ Laisser refroidir complètement.

■ Battre les œufs dans un grand bol, puis y ajouter tous les autres ingrédients ainsi que les oignons refroidis. Bien mélanger et verser la préparation dans le plat à gratin.

■ Mettre au four de 20 à 25 minutes, ou jusqu'à ce que la frittata soit prise et bien dorée.

■ Servir immédiatement, avec une salade verte.

Nota: les tomates séchées se vendent souvent conservées dans l'huile. Celle-ci est pleine de saveur: ne pas la jeter lorsqu'il ne reste plus de tomates! Elle remplacera très bien l'huile d'olive dans les vinaigrettes.

Œufs pochés aux asperges

Ingrédients

➤ 160 ml (2/3 tasse) d'huile d'olive

➤ 2 grosses échalotes grises émincées

➤ 1/2 poivron rouge haché

➤ 45 ml (3 c. à soupe) de vinaigre balsamique

➤ Poivre noir concassé, au goût

➤ 2 bottes d'asperges fines

➤ 8 œufs

Préparation

■ Dans une poêle, faire chauffer environ 45 ml (3 c. à soupe) d'huile d'olive à feu moyen et y laisser revenir les échalotes et le poivron 7 ou 8 minutes.

■ Verser le vinaigre balsamique et poursuivre la cuisson 1 minute. Ajouter le poivre concassé.

■ Incorporer le reste de l'huile d'olive, puis retirer du feu de manière à obtenir une vinaigrette tiède.

■ Préparer une casserole d'eau bouillante. Peler les asperges avec un couteau économe et couper l'extrémité des tiges si nécessaire. Plonger les asperges dans l'eau bouillante. Faire cuire environ 8 minutes, selon la grosseur. Égoutter et réserver au chaud.

■ Préparer une seconde casserole d'eau additionnée d'un filet de vinaigre. L'eau doit se situer entre le frémissement et le gros bouillon. Casser un œuf et l'ouvrir juste à l'endroit où l'eau bouillonne. Répéter rapidement cette opération pour les autres œufs.

- À partir du moment où les 8 œufs sont dans la casserole, calculer 3 minutes.

- Entre-temps, dresser un bouquet d'asperges dans chacune des assiettes.

- Déposer deux œufs sur chaque bouquet.

- Napper de vinaigrette tiède et servir aussitôt.

Omelette du midi

3 portions

Ingrédients

- ➤ 10 ml (2 c. à thé) d'huile d'olive
- ➤ 1/2 gousse d'ail hachée finement
- ➤ 1/2 petit oignon émincé
- ➤ 1 tomate italienne en tranches
- ➤ Sel et poivre, au goût
- ➤ 6 œufs battus
- ➤ 15 ml (1 c. à soupe) de persil frais, haché
- ➤ 15 ml (1 c. à soupe) de basilic frais, haché

Préparation

- ■ Dans une grande poêle antiadhésive, faire chauffer l'huile d'olive à feu moyen, et y laisser revenir l'ail et l'oignon jusqu'à ce que celui-ci soit tendre.

- ■ Augmenter le feu et ajouter les tranches de tomate; laisser cuire 3 minutes.

- ■ Saler et poivrer les œufs.

- ■ Verser les œufs dans la poêle et poursuivre la cuisson 3 minutes. Remuer ensuite avec une spatule en caoutchouc. Ajouter le persil et le basilic, et laisser cuire jusqu'au degré de cuisson désiré. Plier l'omelette en deux pour enfermer la garniture à l'intérieur.

- ■ Dresser dans des assiettes. Servir aussitôt.

Nota: les herbes fraîches possèdent une saveur incomparable. Durant la saison estivale, elles sont faciles à trouver et d'un prix abordable. Profitons-en! Il faut toutefois s'attendre à avoir de la difficulté à revenir aux herbes en petites bouteilles...

Légumes
d'accompagnement

Avocats à la méditerranéenne

Ingrédients

➤ 2 avocats pelés, en dés

➤ 180 ml (3/4 tasse) de yogourt nature 1 %

➤ 1 gousse d'ail hachée

➤ Sauce Braggs ou sauce tamari, au goût

➤ 30 ml (2 c. à soupe) de jus de limette

➤ 60 ml (1/4 tasse) de feuilles d'épinards ciselées

➤ 5 ml (1 c. à thé) de thym moulu

➤ Sel et poivre

➤ 1 tomate coupée en fines tranches

➤ Brins de menthe fraîche, pour décorer

Préparation

■ Dans un bol, mélanger tous les ingrédients, sauf la tomate et la menthe. Laisser reposer le mélange toute une nuit au réfrigérateur. Le lendemain, servir sur un nid de tranches de tomate.

■ Décorer le tout de brins de menthe fraîche.

Champignons au vin blanc

Ingrédients

➤ 1 l (4 tasses) de champignons frais, coupés en deux

➤ 500 ml (2 tasses) de céleri émincé

➤ 1/2 poivron jaune en julienne

➤ 1/2 poivron rouge en julienne

➤ 125 ml (1/2 tasse) de vin blanc sec

➤ 4 tiges de persil frais

➤ 2 gousses d'ail hachées finement

Préparation

■ Préchauffer le four à 190 °C (375 °F)

■ Dans un bol, mélanger les champignons, le céleri et les poivrons.

■ Diviser le mélange en 4 portions et déposer sur du papier d'aluminium épais.

■ Pour chaque portion, ajouter 30 ml (2 c. à soupe) de vin blanc, 1 tige de persil frais et de l'ail, puis fermer la papillote.

■ Déposer les papillotes sur une plaque et mettre au four.

■ Cuire environ 10 minutes.

Champignons marinés aux herbes

48 portions

➤ 6 bocaux de 500 ml (2 tasses)

Ingrédients

➤ 1 l (4 tasses) de vinaigre

➤ 500 ml (2 tasses) de vinaigre de vin rouge

➤ 15 ml (1 c. à soupe) de poivre noir en grains

➤ 5 ml (1 c. à thé) de graines de cumin

➤ 2 gousses d'ail pelées et coupées en deux

➤ 1 feuille de laurier

➤ 3 l (12 tasses) de petits champignons de Paris bien frais

➤ 2 douzaines d'oignons de semence

➤ 6 branches de thym frais

➤ 6 petits bouquets de romarin frais

➤ 6 petites branches d'origan frais

Préparation

◼ Dans une grande casserole, mélanger les 6 premiers ingrédients.

◼ Porter à ébullition, puis réduire le feu et laisser mijoter 15 minutes.

- Ajouter les champignons et les oignons. Amener de nouveau à ébullition. Réduire le feu et laisser mijoter 30 minutes.

- Répartir le thym, le romarin et l'origan dans des bocaux stérilisés encore chauds.

- Remplir les bocaux de champignons et de vinaigre chaud jusqu'à 1 cm (1/2 po) du bord.

Cœurs d'artichauts piquants

Ingrédients

➤ 750 ml (3 tasses) de cœurs d'artichauts coupés en deux

➤ 125 ml (1/2 tasse) de poivron jaune épépiné et coupé en dés

➤ 125 ml (1/2 tasse) de jus de légumes

➤ 5 ml (1 c. à thé) de piment haché

➤ 2 ml (1/2 c. à thé) de piments séchés, broyés

➤ Sel, au goût

➤ 6 feuilles de laitue romaine

➤ Feuilles de basilic frais, pour décorer

Préparation

■ Dans un bol, mélanger tous les ingrédients.

■ Servir chaud ou froid sur une feuille de laitue romaine.

■ Décorer avec des feuilles de basilic frais.

Légumes braisés

Ingrédients

➤ 180 ml (3/4 tasse) de pois mange-tout

➤ 10 pointes d'asperges fraîches

➤ 10 brins de ciboulette hachés

➤ 1 poivron vert épépiné et émincé

➤ 1 poivron jaune épépiné et émincé

➤ 1 tige de brocoli taillée en bouchées

➤ 2 poireaux en morceaux de 7,5 cm (3 po) de long

➤ 2 petites courgettes en morceaux de 7,5 cm (3 po) de long

➤ 1 branche de céleri en morceaux de 7,5 cm (3 po) de long

➤ 250 ml (1 tasse) de bouillon de légumes

➤ 125 ml (1/2 tasse) de vin blanc

➤ 15 ml (1 c. à soupe) de farine de riz sauvage

➤ 15 ml (1 c. à soupe) de sauce tamari

➤ Zeste de 1 orange

➤ 1/2 poivron rouge épépiné, en lamelles, pour décorer

Préparation

■ Dans une grande casserole, incorporer tous les légumes, le bouillon de légumes et le vin blanc, puis amener à ébullition. Faire cuire les légumes environ 5 minutes, en veillant à les garder croquants.

■ Retirer du feu, mettre les légumes dans un plat et les tenir au chaud (il est important de retirer les légumes du bouillon pour faire cesser leur cuisson).

■ Dans la casserole, faire rissoler la farine de riz sauvage quelques instants, puis ajouter la sauce tamari, le zeste d'orange et le bouillon de légumes. Remettre les légumes cuits dans le bouillon et les y faire réchauffer. Retirer du feu et déposer dans un plat de service.

■ Décorer avec les lamelles de poivron rouge.

Légumes en papillotes

Ingrédients

➤ 500 ml (2 tasses) de brocoli en petits bouquets

➤ 250 ml (1 tasse) de chou-fleur en petits bouquets

➤ 250 ml (1 tasse) de choux de Bruxelles

➤ 1 courgette en rondelles de 0,5 cm (1/4 po) d'épaisseur

➤ 1 gros oignon rouge coupé en rondelles

➤ 1/2 poivron rouge en julienne

➤ 1/2 poivron jaune en julienne

➤ 50 ml (1/4 tasse) d'huile d'olive

➤ Sel et poivre, au goût

➤ Origan séché, au goût

Préparation

■ Préchauffer le four à 190 °C (375 °F).

■ Diviser les légumes en 4 portions et déposer sur du papier d'aluminium épais.

■ Pour chaque portion, verser 15 ml (1 c. à soupe) d'huile d'olive puis assaisonner de sel, de poivre et d'origan et fermer la papillote.

■ Déposer les papillotes sur une plaque et mettre au four.

■ Cuire environ 20 minutes.

Légumes grillés aux graines de sésame

Ingrédients

➤ 2 courgettes coupées en lamelles de 0,5 cm (1/4 po) d'épaisseur

➤ 1 aubergine coupée en lamelles de 0,5 cm (1/4 po) d'épaisseur

➤ 30 ml (2 c. à soupe) d'huile d'olive

➤ 30 ml (2 c. à soupe) de vinaigre balsamique

➤ Sel et poivre, au goût

➤ 1 tomate coupée en dés

➤ 1 gousse d'ail hachée finement

➤ 8 champignons émincés

➤ 45 ml (3 c. à soupe) de graines de sésame

➤ 30 ml (2 c. à soupe) de tomates séchées, hachées

➤ 15 ml (1 c. à soupe) d'estragon frais, haché

➤ 45 ml (3 c. à soupe) de parmesan en copeaux

Préparation

■ Préchauffer le four à 190 °C (375 °F).

■ Badigeonner les courgettes et l'aubergine avec le mélange d'huile d'olive et de vinaigre balsamique. Saler et poivrer au goût.

- Mettre les légumes sur une plaque et les faire cuire environ 4 à 5 minutes ou jusqu'à ce qu'ils soient grillés.

- Sur 4 feuilles de papier d'aluminium épais, déposer les légumes grillés puis ajouter le reste des ingrédients (sauf le parmesan).

- Refermer en papillote et cuire de 5 à 7 minutes.

- Au moment de servir, ouvrir et ajouter le parmesan.

Purée de chou-fleur

Ingrédients

➤ 1 chou-fleur

➤ 60 ml (1/4 tasse) de crème 15 %

➤ 2,5 ml (1/2 c à thé) de muscade moulue

➤ Sel et poivre, au goût

➤ Lamelles de poivron rouge ou jaune, pour décorer

Préparation

■ Diviser le chou-fleur en bouquets et couper l'extré-mité des tiges.

■ Faire blanchir dans l'eau bouillante de 10 à 15 mi-nutes. Égoutter.

■ Au mélangeur, réduire le chou-fleur en purée.

■ Dans une casserole, mélanger la purée de chou-fleur, la crème et les assaisonnements.

■ Au moment de servir, décorer avec les lamelles de poivron.

Ratatouille aux gombos

4 portions

Ingrédients

- ➤ 45 ml (3 c. à soupe) d'huile d'olive
- ➤ 1 gros oignon en dés
- ➤ 1 gousse d'ail hachée
- ➤ 250 g (1/2 lb) de gombos entiers
- ➤ 2 branches de céleri coupées en biais
- ➤ 1/2 poivron rouge en lanières
- ➤ 1/2 poivron vert en lanières
- ➤ 1/2 poivron jaune en lanières
- ➤ 4 tomates italiennes en tranches
- ➤ 125 ml (1/2 tasse) de champignons hachés grossièrement
- ➤ 30 ml (2 c. à soupe) de vin blanc
- ➤ 1 ml (1/4 c. à thé) de coriandre
- ➤ 1 ml (1/4 c. à thé) d'origan
- ➤ 1 ml (1/4 c. à thé) de thym
- ➤ Sel et poivre
- ➤ 1 pincée de fructose

Préparation

- ■ Dans un grand poêlon, faire chauffer l'huile d'olive à feu moyen et y laisser revenir l'oignon et l'ail pendant 3 minutes.

■ Baisser le feu et ajouter les autres légumes, le vin blanc, les assaisonnements et le fructose.

■ Couvrir et laisser mijoter de 20 à 25 minutes, ou jusqu'à ce que les gombos soient tendres. Il peut être nécessaire d'ajouter un peu d'eau pendant la cuisson des légumes. Servir.

Salade de carottes

Ingrédients

➤ 500 ml (2 tasses) de carottes râpées

➤ 125 ml (1/2 tasse) de céleri émincé

➤ 125 ml (1/2 tasse) de poivron vert coupé en dés

➤ 30 ml (2 c. à soupe) de câpres

➤ 30 ml (2 c. à soupe) d'huile d'olive

➤ 15 ml (1 c. à soupe) de jus de citron

➤ 5 ml (1 c. à thé) de fructose

➤ 2,5 ml (1/2 c. à thé) de zeste de citron

➤ 2,5 ml (1/2 c. à thé) de racine de gingembre frais, pelée et râpée

➤ Sel, au goût

➤ 4 feuilles de laitue romaine

Préparation

■ Bien mélanger tous les ingrédients. Couvrir et réfrigérer quelques heures avant de servir.

■ Présenter sur des feuilles de laitue romaine.

Salade de chou-fleur au cari

4 portions

Ingrédients

- ➤ 15 ml (1 c. à soupe) de moutarde
- ➤ 60 ml (1/4 tasse) d'huile d'olive
- ➤ 15 ml (1 c. à soupe) de vinaigre de cidre
- ➤ 15 ml (1 c. à soupe) de cari en poudre
- ➤ 15 ml (1 c. à soupe) de jus de citron
- ➤ Sel et poivre, au goût
- ➤ 500 ml (2 tasses) de bouquets de chou-fleur blanchis
- ➤ 1/2 poivron vert en dés
- ➤ 1 échalote en rondelles
- ➤ 2 tomates épépinées, en dés
- ➤ 15 ml (1 c. à soupe) de persil frais, haché

Préparation

- ■ Dans un grand bol, mélanger la moutarde, l'huile d'olive, le vinaigre de cidre, le cari en poudre et le jus de citron. Saler et poivrer.
- ■ Ajouter le chou-fleur, le poivron vert, l'échalote, les tomates et le persil. Bien mélanger.
- ■ Servir.

Salade de tomates et de pêches

Ingrédients

➤ 30 ml (2 c. à soupe) d'huile d'olive

➤ 7 ml (1/2 c. à soupe) de vinaigre balsamique

➤ 7 ml (1/2 c. à soupe) de jus de citron

➤ 3 ml (3/4 c. à thé) de sel

➤ 2,5 ml (1/2 c. à thé) de poivre frais, moulu

➤ 2 pêches

➤ 2 tomates jaunes

➤ 2 tomates rouges

➤ 250 ml (1 tasse) de tomates cerises

➤ 1 branche de céleri pelée et coupée en morceaux de 2 cm (3/4 po) de long

➤ 30 ml (2 c. à soupe) de feuilles de menthe

➤ Feuilles de menthe, pour décorer

Préparation

◼ Dans un bol, mélanger l'huile, le vinaigre, le jus de citron, une pincée de sel et un peu de poivre.

◼ Couper les pêches en deux et les dénoyauter. Les couper ensuite en quartiers et les peler. Enlever le pédoncule et le cœur des tomates rouges et jaunes, puis trancher celles-ci en quartiers de 1 cm (1/2 po) d'épaisseur.

■ Disposer les pêches, les tomates rouges et jaunes, les tomates cerises et le céleri dans une assiette de service. Les saupoudrer du reste de sel et de poivre. Hacher finement les feuilles de menthe et les ajouter à la vinaigrette. Verser celle-ci sur la salade et garnir le tout de feuilles de menthe. Servir.

Salade tiède de champignons grillés

Ingrédients

➤ 250 ml (1 tasse) de petits champignons de Paris entiers, sans le pied

➤ 250 ml (1 tasse) de champignons café coupés en deux

➤ 2 gros champignons portobellos en tranches

➤ 250 ml (1 tasse) de petits pleurotes entiers

➤ Sel et poivre, au goût

➤ 60 ml (1/4 tasse) d'huile d'olive

Vinaigrette

➤ 60 ml (1/4 tasse) de vinaigre de vin blanc

➤ 15 ml (1 c. à soupe) de moutarde de Dijon

➤ 3 gousses d'ail hachées

➤ 5 ml (1 c. à thé) de graines de cumin écrasées

➤ 15 ml (1 c. à soupe) de ciboulette émincée

➤ 15 ml (1 c. à soupe) de persil haché

➤ Sel et poivre, au goût

➤ 250 ml (1 tasse) d'huile d'olive

Préparation

■ Placer les champignons sur une plaque à biscuits. Saler et poivrer. Verser l'huile d'olive sur les champignons de manière à les en enrober légèrement.

■ Placer la plaque sur un gril chauffé à feu moyen et faire cuire pendant 10 minutes ou jusqu'à ce que les champignons commencent à se colorer sur les bords. Retourner une fois pendant la cuisson.

■ Mettre les champignons dans un bol et les arroser de vinaigrette. Laisser tiédir.

■ Disposer les champignons dans les assiettes.

■ Si désiré, garnir de ciboulette et de persil.

■ Servir aussitôt.

Vinaigrette

■ Dans un bol, mélanger au fouet tous les ingrédients, à l'exception de l'huile d'olive.

■ Toujours en fouettant, verser l'huile d'olive en filet. Réserver.

Nota: combiner les variétés de champignons de son choix ou n'en utiliser qu'une. L'important est de disposer d'un peu plus d'une tasse de champignons crus par personne. Laisser tiédir la vinaigrette à la température ambiante avant de l'utiliser pour éviter qu'elle refroidisse les champignons.

Plats glucidiques

Aubergine au cottage et aux haricots rouges

Ingrédients

➤ 125 ml (1/2 tasse) de lait concentré écrémé

➤ 125 ml (1/2 tasse) de cottage 1 %

➤ 1 pincée de muscade moulue

➤ 1 pincée de clou de girofle moulu

➤ Sel et poivre, au goût

➤ 1 aubergine moyenne, tranchée

➤ 2 oignons émincés

➤ 2 gousses d'ail hachées

➤ 4 tomates tranchées

➤ 250 ml (1 tasse) de haricots rouges cuits

➤ Petits bouquets de persil (facultatif)

Préparation

■ Préchauffer le four à 190 °C (375 °F).

■ Au robot culinaire, réduire en une purée lisse le lait concentré, le cottage, la muscade, le clou de girofle, le sel et le poivre. Réserver.

■ Badigeonner d'huile d'olive un moule à pain de 2 l (8 tasses). Étendre les tranches d'aubergine au fond du moule. Saler et poivrer.

■ Déposer par couches l'oignon et l'ail, les tomates et les haricots rouges.

■ Verser la purée en dernier.

■ Cuire le tout au four pendant 20 minutes. Décorer de bouquets de persil (facultatif). Servir.

Cari de courges

Ingrédients

➤ 30 ml (2 c. à soupe) d'huile d'olive

➤ 1 oignon haché

➤ 2 gousses d'ail hachées

➤ 5 ml (1 c. à thé) de cari

➤ 2,5 ml (1/2 c. à thé) de curcuma

➤ 2,5 ml (1/2 c. à thé) de cumin moulu

➤ 2,5 ml (1/2 c. à thé) de graines de coriandre moulues

➤ Poivre

➤ 250 ml (1 tasse) de lentilles rouges cuites

➤ 1 l (4 tasses) d'eau

➤ 500 ml (2 tasses) de courge musquée en dés

➤ Sel

Préparation

■ Faire chauffer l'huile dans une casserole. Y faire sauter l'oignon et l'ail 5 minutes. Ajouter le cari, le curcuma, le cumin et les graines de coriandre; poivrer. Cuire 1 minute de plus en remuant.

■ Verser les lentilles et l'eau; faire cuire à feu modéré 15 minutes, en remuant de façon régulière. Ajouter la courge et poursuivre la cuisson 30 minutes, en remuant à l'occasion. Saler et servir.

Chili végétarien

Ingrédients

➤ 45 ml (3 c. à soupe) d'huile d'olive

➤ 1 gros oignon haché

➤ 1 gousse d'ail hachée

➤ 10 ml (2 c. à thé) de poudre de chili

➤ 1 ml (1/4 c. à thé) de basilic séché

➤ 1 ml (1/4 c. à thé) d'origan séché

➤ 250 ml (1 tasse) de champignons émincés

➤ 250 ml (1 tasse) de courgettes coupées en dés

➤ 125 ml (1/2 tasse) d'aubergine coupée en dés

➤ 1/2 poivron rouge coupé en dés

➤ 1/2 poivron vert coupé en dés

➤ 1 boîte de 340 ml (28 oz) de tomates broyées

➤ 1 boîte de 540 ml (19 oz) de haricots rouges
égouttés et rincés

➤ 250 ml (1 tasse) de tofu coupé en dés
de 1 cm (1/2 po)

➤ Basilic frais, pour décorer

Préparation

■ Dans une grande casserole, chauffer l'huile et saisir les oignons, l'ail et les herbes.

■ Réduire la cuisson à feu moyen et ajouter les champignons, les courgettes, l'aubergine et les poivrons; remuer constamment et poursuivre la cuisson encore 3 minutes.

■ Ajouter les tomates, les haricots rouges et le tofu. Couvrir et laisser mijoter doucement environ 15 minutes ou jusqu'à ce que les légumes soient cuits. Ajouter un peu de jus de tomate au cours de la cuisson si le mélange devient trop épais.

■ Décorer avec du basilic frais.

Croquettes aux graines de tournesol

Ingrédients

➤ 125 ml (1/2 tasse) de graines de tournesol moulues

➤ 375 ml (1 1/2 tasse) de germe de blé

➤ 50 ml (1/4 tasse) de jus de tomate

➤ 30 ml (2 c. à soupe) de ciboulette émincée

➤ 15 ml (1 c. à soupe) de persil frais, haché

➤ 1/2 poivron rouge en petits dés

➤ 1 branche de céleri hachée

➤ 5 ml (1 c. à thé) d'huile d'olive

➤ 5 ml (1 c. à thé) basilic séché

➤ Sel, au goût

Préparation

■ Dans un bol, mélanger tous les ingrédients.

■ Façonner 4 croquettes bien fermes (ajouter plus de germe de blé si les croquettes se tiennent mal).

■ Dans un poêlon antiadhésif, faire cuire les croquettes à feu moyen, environ 12 minutes de chaque côté.

■ Accompagner les croquettes de légumes frais.

Hamburgers de fèves de soya

Ingrédients

➤ 500 ml (2 tasses) de fèves de soya cuites

➤ 5 ml (1 c. à thé) d'huile d'olive

➤ 2 échalotes émincées

➤ 2 gousses d'ail écrasées

➤ 10 ml (2 c. à thé) de sauce tamari

➤ 50 ml (1/4 tasse) de germe de blé

Préparation

■ Au mélangeur, réduire les fèves de soya en grumeaux.

■ Dans une casserole, faire chauffer l'huile et faire revenir les oignons et l'ail de 3 à 4 minutes.

■ Incorporer au mélange de soya, avec la sauce tamari et le germe de blé.

■ Façonner en 4 boulettes aplaties bien fermes.

■ Dans un poêlon antiadhésif, faire cuire les boulettes à feu moyen.

■ Couvrir et cuire de 4 à 6 minutes de chaque côté.

■ Accompagner les boulettes de légumes frais.

Millet aux légumes

Ingrédients

➤ 250 ml (1 tasse) de millet

➤ 1 œuf

➤ 500 ml (2 tasses) de bouillon de légumes

➤ 2 feuilles de laurier

➤ 15 ml (1 c. à soupe) d'huile d'olive

➤ 125 ml (1/2 tasse) d'oignons hachés finement

➤ 1/2 gousse d'ail hachée

➤ 125 ml (1/2 tasse) de céleri coupé en dés

➤ 125 ml (1/2 tasse) de champignons hachés finement

➤ 1 branche de brocoli taillée en bouchées

➤ 1/2 poivron rouge

➤ 1/2 poivron vert

➤ 1/2 poivron jaune

➤ 375 ml (1 1/2 tasse) de pois chiches cuits

➤ Sel et poivre

➤ Sauce tamari, au goût

➤ 15 ml (1 c. à soupe) de persil frais, haché

➤ 1 ml (1/4 c. à thé) de cumin

➤ 1 ml (1/4 c. à thé) de cari

Préparation

- Mélanger le millet et l'œuf.

- Dans un grand poêlon, faire chauffer à feu moyen le mélange œuf-millet. Bien faire griller jusqu'à ce que les grains se détachent.

- Incorporer le bouillon de légumes et les feuilles de laurier puis continuer la cuisson 15 minutes.

- Dans un autre poêlon, faire chauffer l'huile et faire revenir l'oignon et l'ail 2 minutes. Incorporer le reste des légumes et poursuivre la cuisson 10 minutes ou jusqu'à ce que les légumes soient encore croquants.

- Terminer les 2 dernières minutes de cuisson en ajoutant les pois chiches cuits.

- Ajouter cette préparation de légumes avec le millet cuit puis assaisonner. Bien mélanger.

- Au moment de servir, retirer les feuilles de laurier.

Perles du Moyen-Orient

Ingrédients

- ➤ 1/2 poivron rouge
- ➤ 1/2 oignon rouge
- ➤ 2 branches de céleri
- ➤ 2 échalotes
- ➤ 2 gousses d'ail
- ➤ 1 boîte de 398 ml (14 oz) de fèves de Lima égouttées
- ➤ 1 boîte de 796 ml (28 oz) de fèves mélangées, égouttées
- ➤ Jus de 1/2 citron
- ➤ 30 ml (2 c. à soupe) de menthe fraîche, hachée
- ➤ 30 ml (2 c. à soupe) de persil frais, haché
- ➤ Sel et poivre, au goût
- ➤ 175 ml (2/3 tasse) d'huile d'olive

Préparation

- ▪ Couper le poivron, l'oignon et le céleri en petits dés.
- ▪ Émincer les échalotes et hacher finement l'ail.
- ▪ Dans un grand bol, combiner les légumes et les légumineuses, puis mélanger.

■ Ajouter le jus de citron, la menthe, le persil, le sel et le poivre, puis mélanger.

■ Verser l'huile d'olive et mélanger délicatement.

■ Dresser dans un joli saladier et garnir d'une branche de menthe fraîche. Laisser chacun se servir à sa guise.

Nota: avant de s'en servir, rincer les légumineuses à l'eau froide pour les rafraîchir.

Ne jamais utiliser une boîte de conserve dans laquelle il s'est formé de l'écume, de la moisissure ou qui dégage une odeur désagréable.

Riz sauvage aux champignons

4 portions

Ingrédients

- ➤ 250 ml (1 tasse) de riz sauvage cru
- ➤ 750 ml (3 tasses) d'eau
- ➤ 750 ml (3 tasses) de bouillon de légumes
- ➤ Sel et poivre
- ➤ 30 ml (2 c. à soupe) d'huile d'olive
- ➤ 750 ml (3 tasses) de champignons frais, émincés
- ➤ 1 oignon émincé
- ➤ 1 branche de céleri hachée
- ➤ 1/2 poivron rouge en dés
- ➤ 125 ml (1/2 tasse) d'amandes effilées

Préparation

- ■ Faire tremper le riz sauvage dans l'eau pendant 12 heures (ou toute une nuit).

- ■ Le lendemain, égoutter le riz puis le déposer dans une grande casserole avec le bouillon de légumes, le sel et le poivre. Faire cuire environ 40 minutes.

- ■ Dans un grand poêlon, faire chauffer l'huile d'olive puis faire revenir les légumes avec les amandes. Lorsqu'ils sont cuits, les incorporer au riz cuit.

Nota: pour un repas complet, ajouter 375 ml (1 1/2 tasse) de légumineuses cuites de votre choix.

Salade de légumineuses

Ingrédients

- ➤ 250 ml (1 tasse) de pois chiches cuits
- ➤ 250 ml (1 tasse) d'haricots rouges cuits
- ➤ 2 branches de céleri coupées en dés
- ➤ 2 échalotes hachées
- ➤ 30 ml (2 c. à soupe) d'huile d'olive
- ➤ 15 ml (1 c. à soupe) de vinaigre de cidre
- ➤ Moutarde de Dijon, au goût
- ➤ Sel et poivre, au goût

Préparation

- ■ Mélanger les pois chiches, les haricots rouges, le céleri et les échalotes. Réserver.

- ■ Dans un récipient hermétique, mélanger l'huile, le vinaigre, la moutarde, le sel et le poivre. Secouer vigoureusement.

- ■ Incorporer cette vinaigrette au mélange de légumineuses et réfrigérer 2 heures, au minimum.

- ■ Au moment de servir, déposer la salade de légumineuses sur une feuille de laitue romaine.

Salade de riz sauvage

Ingrédients

➤ 300 ml (1 1/4 tasse) de riz sauvage

➤ 2 l (8 tasses) d'eau

➤ 125 ml (1/2 tasse) de pois verts décongelés

➤ 50 ml (1/4 tasse) d'échalotes émincées

➤ 50 ml (1/4 tasse) de poivron rouge en dés

➤ 50 ml (1/4 tasse) de poivron vert en dés

➤ 75 ml (1/3 tasse) d'amandes effilées

Vinaigrette

➤ 30 ml (2 c. à soupe) de vinaigre balsamique

➤ 15 ml (1 c. à soupe) de moutarde de Dijon

➤ 7 ml (1/2 c. à soupe) de racine de gingembre pelée et râpée

➤ 5 ml (1 c. à thé) d'huile d'olive

➤ Sel et poivre, au goût

Préparation

▪ Faire tremper le riz sauvage dans 1 l (4 tasse) d'eau pendant 12 heures (ou toute une nuit).

▪ Le lendemain, égoutter le riz puis le déposer dans une grande casserole avec 1 l (4 tasses) d'eau. Faire cuire environ 40 minutes.

- Bien égoutter le riz et le laisser refroidir.

- Lorsque refroidi, ajouter les pois, les oignons et les poivrons.

- Dans un petit bol, mélanger le vinaigre, la moutarde, le gingembre, l'huile, le sel et le poivre.

- Mélanger au riz et ajouter les amandes.

- Pour un repas plus complet, on peut ajouter des pois chiches ou d'autres légumineuses au choix.

Taboulé de quinoa

Ingrédients

- ➤ 375 ml (1 1/2 tasse) persil frais, haché
- ➤ 375 ml (1 1/2 tasse) de quinoa cuit
- ➤ 175 ml (3/4 tasse) de menthe fraîche
- ➤ 175 ml (3/4 tasse) d'échalotes émincées
- ➤ 75 ml (1/3 tasse) de jus de citron
- ➤ 50 ml (1/4 tasse) de pois chiches cuits
- ➤ 10 ml (2 c. à thé) d'huile d'olive
- ➤ 3 tomates moyennes en dés
- ➤ Sel et basilic, au goût

Préparation

■ Bien mélanger tous les ingrédients et réfrigérer avant de servir.

Cuisson du quinoa

■ Mettre le quinoa dans deux fois son volume d'eau portée à ébullition. Ramener à ébullition. Réduire la chaleur au minimum. Couvrir et cuire 15 minutes.

Tofu au gingembre

Ingrédients

➤ 4 tranches de tofu ferme de 8 cm x 8 cm (3 po x 3 po)

➤ 30 ml (2 c. à soupe) d'huile d'olive

➤ Mélange de légumes: poivrons jaune, vert et rouge, céleri, oignon, chou-fleur, brocoli, pois mange-tout et champignons

➤ 15 ml (1 c. à soupe) de coriandre fraîche, hachée

Marinade

➤ 30 ml (2 c. à soupe) d'huile d'olive

➤ 30 ml (2 c. à soupe) de sauce tamari

➤ 30 ml (2 c. à soupe) d'eau

➤ 15 ml (1 c. à soupe) de jus de citron

➤ 15 ml (1 c. à soupe) de fructose

➤ 15 ml (1 c. à soupe) de racine de gingembre pelée et râpée

➤ 1 gousse d'ail

Préparation

■ Couper les tranches de tofu en deux, en diagonale, de manière à obtenir des triangles. Déposer dans un plat peu profond. Réserver.

■ Dans un contenant hermétiquement fermé, mélanger tous les ingrédients de la marinade. Verser le mélange sur le tofu. Laisser mariner au moins 1 heure au réfrigérateur.

■ Dans une poêle, faire chauffer l'huile d'olive et y laisser revenir le tofu mariné.

■ Réserver dans un plat de service.

■ Déglacer la poêle avec la marinade. Laisser réduire le liquide et le verser sur les tranches de tofu.

■ Servir avec le mélange de légumes grossièrement coupés, légèrement revenus à l'huile d'olive. Saupoudrer de coriandre fraîche.

Desserts

Brochettes de fraises et de kiwis chocolatés
6 portions

Ingrédients

➤ 6 kiwis en tranches

➤ Une trentaine de fraises

➤ 125 ml (1/2 tasse) de chocolat noir à 85 %
de cacao Montignac

➤ 30 ml (2 c. à soupe) de lait 1 %

➤ 1 clou de girofle

➤ 1 bâton de cannelle

Préparation

■ Sur des brochettes de bois, enfiler en alternance une fraise et deux tranches de kiwi. Réserver.

■ À feu doux, faire fondre le chocolat avec le lait, le clou de girofle et le bâton de cannelle. À la fin de la cuisson, retirer les épices. Verser sur les brochettes de fruits et servir.

Clafoutis aux cerises

Ingrédients

➤ 500 g (1 lb) de cerises fraîches (environ 500 ml ou 2 tasses), équeutées et dénoyautées

➤ 60 ml (1/4 tasse) de fructose

➤ 1 pincée de sel

➤ 6 œufs

➤ 250 ml (1 tasse) de lait écrémé froid

➤ 5 ml (1 c. à thé) d'essence d'amande naturelle

Préparation

■ Préchauffer le four à 190 °C (375 °F).

■ Graisser un moule de 23 cm (9 po) de diamètre et y disposer les cerises. Les saupoudrer de la moitié du fructose.

■ Fouetter les œufs un à un, puis le lait et l'essence d'amande. Ajouter le reste du fructose et le sel. Cette préparation doit avoir une consistance mousseuse.

■ Verser la préparation sur les cerises puis mettre au centre du four. Cuire environ 45 minutes ou jusqu'à ce que le clafoutis soit doré. Servir tiède ou froid.

Nota: à défaut de cerises fraîches, les remplacer par des cerises en conserve bien égouttées. Utiliser une boîte de 398 ml (14 oz).

Délice à la rhubarbe

4 portions

Ingrédients

➤ 1 l (4 tasses) de rhubarbe fraîche

➤ 125 ml (1/2 tasse) d'eau

➤ 60 ml (1/4 tasse) de fructose

➤ 15 ml (1 c. à soupe) de jus de citron

➤ 15 ml (1 c. à soupe) de gélatine sans saveur

➤ Fraises fraîches, pour décorer

Préparation

◼ Dans une casserole, faire cuire la rhubarbe avec 60 ml (1/4 tasse) d'eau, le fructose et le jus de citron. Laisser cuire une vingtaine de minutes, ou jusqu'à ce que la rhubarbe soit cuite.

◼ Saupoudrer la gélatine dans le reste de l'eau et laisser gonfler 5 minutes. L'ajouter à la rhubarbe et remuer jusqu'à ce que la gélatine soit complètement dissoute.

◼ Verser la préparation de rhubarbe dans un bol et fouetter jusqu'à ce qu'elle devienne homogène. La répartir dans 4 coupes et faire prendre au réfrigérateur.

◼ Au moment de servir, décorer de fraises fraîches.

Flan aux pêches et au yogourt

Ingrédients

➤ 1 enveloppe de gélatine sans saveur

➤ 30 ml (2 c. à soupe) d'eau froide

➤ 180 ml (3/4 tasse) de lait écrémé

➤ 30 ml (2 c. à soupe) de fructose

➤ 250 ml (1 tasse) de yogourt nature 0,1 %

➤ 5 ml (1 c. à thé) d'essence de vanille naturelle

➤ 250 ml (1 tasse) de pêches mises en conserve dans leur jus, égouttées et coupées en petits morceaux

➤ Feuilles de menthe fraîche, pour décorer

Préparation

■ Faire gonfler la gélatine dans l'eau froide.

■ Au bain-marie, faire chauffer le lait et le fructose en remuant jusqu'à ce que ce dernier soit dissous. Retirer du feu.

■ Incorporer le yogourt, la vanille et la gélatine. Laisser prendre à moitié, puis ajouter les pêches.

■ Verser dans 4 ramequins préalablement passés à l'eau froide.

■ Réfrigérer au moins 2 heures avant de démouler et de servir.

■ Décorer avec des feuilles de menthe fraîche.

Pêches Melba au yogourt

Ingrédients

➤ 4 demi-pêches en conserve, non sucrées

➤ 250 ml (1 tasse) de yogourt nature 0,1 %

➤ 1 ml (1/4 c. à thé) d'essence de vanille naturelle

➤ 60 ml (1/4 tasse) de confiture de framboises sans sucre

➤ 15 ml (1 c. à soupe) d'amandes effilées

➤ 1 ml (1/4 c. à thé) de zeste d'orange

Préparation

■ Déposer les demi-pêches dans des coupes individuelles.

■ Dans un bol, mélanger le yogourt et la vanille.

■ Remplir la cavité des pêches du mélange de yogourt.

■ Verser environ 10 ml (2 c. à thé) de confiture sur chaque portion de pêche.

■ Garnir d'amandes et de zeste d'orange.

Poires au vin et au fromage blanc

Ingrédients

➤ 4 poires

➤ 375 ml (1 1/2 tasse) de vin blanc

➤ 250 ml (1 tasse) d'eau

➤ 10 ml (2 c. à thé) de fructose

➤ 2,5 ml (1/2 c. à thé) de muscade moulue

➤ 1 bâton de cannelle

➤ 60 ml (1/4 tasse) de cottage 1 %

➤ 60 ml (1/4 tasse) de yogourt nature 0,1 %

➤ 5 ml (1 c. à thé) de feuilles de menthe fraîche, ciselées, pour décorer

Préparation

■ Avec un évidoir, retirer le cœur des poires. Les couper en deux dans le sens de la hauteur et les déposer dans une casserole.

■ Ajouter le vin blanc, l'eau, 5 ml (1 c. à thé) de fructose, la muscade et le bâton de cannelle. Bien mélanger. Porter à ébullition, puis baisser le feu et laisser mijoter 20 minutes.

■ Retirer la préparation du feu et enlever le bâton de cannelle. Laisser refroidir complètement.

■ Pendant ce temps, battre le cottage, le yogourt et le reste du fructose au robot culinaire. Réserver.

■ Disposer les poires refroidies dans une assiette. Garnir chaque demi-poire d'une petite quantité de préparation au fromage cottage. Parsemer de feuilles de menthe. Servir.

Pommes farcies aux dattes

Ingrédients

➤ 4 pommes moyennes

➤ 5 ml (1 c. à thé) de jus de citron

Farce aux dattes

➤ 500 ml (2 tasses) de dattes fraîches, hachées

➤ 250 ml (1 tasse) d'eau très chaude

➤ 10 ml (2 c. à thé) de zeste d'orange

➤ 5 ml (1 c. à thé) de zeste de citron

Préparation

▣ Laisser tremper les dattes dans l'eau chaude jusqu'à ce qu'elles ramollissent.

▣ Au mélangeur, réduire en purée les dattes avec le
zeste d'orange et de citron.

▣ Préchauffer le four à 180 °C (350 °F).

▣ Évider les pommes en ne laissant qu'une mince
paroi au fond. Badigeonner l'intérieur de jus de
citron.

▣ Déposer les fruits dans un plat juste assez grand
pour qu'ils tiennent en place et ne s'affaissent pas.

▣ Emplir les pommes du mélange de dattes. Couvrir
et faire cuire au four environ 20 minutes.

- Retirer le couvercle et poursuivre la cuisson 10 minutes ou jusqu'à ce que les pommes soient tendres.
- Servir les pommes tièdes.

Nota: la garniture aux dattes se conserve bien au réfrigérateur dans un contenant hermétique. Le surplus peut servir comme tartinade ou pour préparer une portion de ce dessert.

Pruneaux aux amandes

Ingrédients

➤ 500 ml (2 tasses) de pruneaux

➤ Eau

➤ 5 ml (1 c. à thé) d'essence de vanille naturelle

➤ 60 ml (1/4 tasse) d'amandes effilées

➤ 5 ml (1 c. à thé) de zeste d'orange

Préparation

■ Faire tremper les pruneaux dans l'eau toute une nuit.

■ Jeter l'eau de trempage. Déposer les pruneaux dans une casserole et recouvrir d'eau froide. Ajouter la vanille. Faire cuire les pruneaux 20 minutes.

■ Faire refroidir la préparation au réfrigérateur.

■ Servir les pruneaux dans leur jus de cuisson. Les parsemer d'amandes effilées et de zeste d'orange.

Tarte aux fruits

Ingrédients

Croûte

➤ 250 ml (1 tasse) d'amandes trempées toute une nuit

➤ 75 ml (1/3 tasse) d'abricots secs

➤ 30 ml (2 c. à soupe) de tahini

➤ 2 ml (1/2 c. à thé) d'essence de vanille naturelle

Garniture

➤ 1 casseau de fraises

➤ 1 casseau de framboises

➤ 250 ml (1 tasse) de jus de fruits (au choix), sans sucre ajouté

➤ 15 ml (1 c. à soupe) d'agar-agar en flocons

Préparation

■ Mettre tous les ingrédients au robot culinaire et hacher jusqu'à ce qu'une pâte se forme. On peut avoir besoin d'arrêter et de nettoyer les parois du robot culinaire plusieurs fois au cours du traitement.

■ Étendre dans un moule à tarte de 23 cm (9 po) avec les doigts mouillés. Réfrigérer la croûte une heure ou faire cuire 30 minutes au four à 120 °C (250 °F) avant d'y déposer la garniture.

Garniture

■ Arranger et laver les fruits puis les assécher sur du papier absorbant.

■ Les déposer sur la croûte de tarte.

■ Dans une petite casserole, mélanger le jus de fruits avec les flocons d'agar-agar puis porter à ébullition 1 minute. Baisser le feu et faire mijoter 1 minute. Laisser reposer quelques minutes avant de verser sur les fruits. Refroidir.

Tarte meringuée aux fruits des champs

Ingrédients

Croûte meringuée

➤ 3 blancs d'œufs

➤ 80 ml (1/3 tasse) plus 25 ml (5 c. à thé)
de fructose

➤ 1 pincée de crème de tartre

➤ Essence de vanille naturelle, au goût

Garniture

➤ 1 l (4 tasses) de fruits des champs: framboises,
mûres et bleuets, de préférence frais

➤ Brins de menthe fraîche, pour décorer

➤ Yogourt nature 0,1 % (facultatif)

Préparation

◼ Préchauffer le four à 150 °C (300 °F).

◼ Dans un grand bol, monter les blancs d'œufs en
neige molle au batteur électrique. Ajouter progres-
sivement le fructose, la crème de tartre et l'essence de vanille, en continuant de battre à vitesse
rapide jusqu'à la formation de pics fermes.

◼ Tapisser une plaque de cuisson de papier sulfurisé
ou de papier d'aluminium graissé.

■ Avec un moule à gâteau de 23 cm (9 po) de diamètre, tracer un cercle sur le papier. Dans le cercle,
étendre le mélange avec une spatule en formant
une bordure de 2,5 cm (1 po) de hauteur. Façonner
la préparation de manière à créer 6 sections bien
distinctes. Cuire au centre du four 1 heure ou jusqu'à
ce que la meringue soit croustillante. Éteindre le
four et y laisser reposer la meringue 12 heures.

■ La retirer du four, la détacher du papier, puis la
mettre dans une assiette de service. Réserver.

■ Dans chaque section de la meringue, déposer des
fruits différents. Décorer de brins de menthe fraîche.
Garnir de yogourt nature 0,1 % (facultatif).

Tartinade légère aux fruits

8 portions de 30 ml (2 c. à soupe) par bocal

➤ 7 bocaux de 250 ml (1 tasse)

Ingrédients

➤ 1,5 l (6 tasses) de fraises équeutées
et coupées en deux

➤ 500 ml (2 tasses) de cerises dénoyautées

➤ 500 ml (2 tasses) de rhubarbe en tronçons
de 2 cm (1 po)

➤ 500 ml (2 tasses) de poires pelées et coupées
en dés de 1 cm (1/2 po)

➤ 3 pommes vertes pelées et coupées en dés
de 1 cm (1/2 po)

➤ 2 boîtes de 355 ml (24 oz) de jus de pomme
congelé, non dilué et décongelé

➤ 5 ml (1 c. à thé) de cannelle

Préparation

■ Dans une grande casserole à fond épais, mélanger
tous les ingrédients. Porter le mélange à ébullition
en remuant régulièrement.

■ Dès que l'ébullition est atteinte, réduire le feu et
laisser mijoter doucement 50 minutes, toujours en
remuant pour empêcher la préparation d'adhérer au
fond. Celle-ci doit prendre une consistance épaisse.

■ Verser la tartinade chaude dans des bocaux stérilisés encore chauds. Remplir les récipients jusqu'à
1 cm (1/2 po) du bord.

Table des matières